Emmanuel Mounier

Communisme, anarchie et personnalisme

Préface de Jean Lacroix

Éditions du Seuil

ŒUVRES COMPLÈTES D'EMMANUEL MOUNIER AUX ÉDITIONS DU SEUIL

TOME I

La pensée de Charles Péguy, 1931.
De la propriété capitaliste à la propriété humaine, 1934.
Révolution personnaliste et communautaire, 1935.
Manifeste au service du personnalisme, 1936.
Anarchie et personnalisme, 1937.
Personnalisme et christianisme, 1939.
Les chrétiens devant le problème de la paix, 1939.

TOME II

Traité du caractère, 1946.

TOME III

L'affrontement chrétien, 1944.
Introduction aux existentialismes, 1947.
Qu'est-ce que le personnalisme? 1947.
L'éveil de l'Afrique noire, 1948.
La petite peur du XXe siècle, 1949.
Le personnalisme, 1949.
Feu la chrétienté, 1950.

TOME IV

Les certitudes difficiles, 1951.
L'espoir des désespérés, 1953.
Mounier et sa génération, Correspondance, 1954.
Bibliographie.

Préface

Il est temps sans doute de redonner son sens et sa vérité à la notion d'engagement, élaborée par Mounier aux environs de 1930 et dont risque de s'écarter toute une partie de la jeunesse, faute de la bien entendre. Il est vrai que le directeur d'*Esprit* a peu à peu édifié sa philosophie au contact de l'événement, il est vrai que, quoique à la fois mystique et réaliste de tempérament, il s'est de plus en plus intéressé à la politique et a créé dans sa revue la chronique de la pensée engagée — aussi bien d'ailleurs dans la vie privée que dans la vie publique. Mais toujours il a jugé ses engagements, restant libre dans l'action et réunissant en lui, comme le demandait Rauh, le double caractère du savant et du militant.

La philosophie n'était pour Mounier ni la construction d'un système abstrait ni la justification après coup de ce qui a été, mais la transformation par l'esprit de l'événement en expérience. Il n'y avait pas plus pour lui de penseur hors de la communauté des hommes que de chrétien hors de l'Église. Ce qui n'exclut pas, ce qui inclut au contraire la distance et le recul dans l'engagement même, l'attention et la présence jusque dans le dégagement. Le rythme de la vie personnelle est fait d'un temps de dégagement réflexif et d'un autre temps d'engagement communautaire. Si le Christ n'est pas venu parmi les concepts, mais parmi les hommes, il faut en conclure que l'incarnation a des conséquences pour la pensée elle-même. Ainsi ce terme d'engagement, utilisé par polémique contre ceux pour qui le monde n'est qu'un spectacle, reste-t-il ambigu. Dans son *Traité du caractère*, Mounier a élaboré une conception de la *pensée engagée-dégagée*, qui prenait la suite de tout ce qu'il y a de valable dans la philosophie classique, tout en rectifiant son attitude séparée et son excès de cérébralisme. Au lieu d'engagement, peut-être vaudrait-il mieux dire dialogue, au sens où tout dialogue est à la fois de participation et de lucidité ou, comme disait Mounier, *affrontement*.

Peut-être personne n'a-t-il jamais mieux décelé l'essence du mensonge : il est refus de relations réelles. Dialoguer pour Mounier, c'est refuser ce refus même, c'est-à-dire établir avec tous des *relations réelles*. La personne pour lui est tridimensionnelle : extériorité ou intentionnalité, intériorité, transcendance. Et c'est la référence à l'absolu qui permet de se tourner vers le dehors sans s'y perdre. Le dialogue avec tous lui a fait comprendre que la personne elle-même est dialogue, qu'elle est une certaine tension entre la liberté et le don. Rester libre à l'intérieur de son engagement, ne se dégager que pour permettre un ré-engagement valable, telle fut son attitude constante. Cette attitude lui permit de se rendre en tous lieux sans jamais s'y compromettre : aller questionner, chez eux, à un congrès à Rome, des penseurs fascistes plus ouverts qui semblaient chercher une détente et une communication — répondre sans hésitation aux invitations de l'École des cadres d'Uriage, dès fin 1940, et s'y exposer si courageusement que ce fut l'une des raisons principales de son emprisonnement par Vichy — entretenir avec les communistes ce dialogue « dur et fraternel » qui l'occupa de plus en plus jusqu'à sa mort. Il savait qu'à aucun moment une conscience n'est capable d'un accroissement d'être qu'elle n'en soit redevable tout d'abord à son dialogue avec une autre conscience. Comme le montrait déjà François Perroux dans les congrès d'*Esprit* d'avant-guerre, le sens de la démocratie est celui des dialogues institutionnalisés. Mais avant de les institutionnaliser, il faut les faire naître. Mounier n'a pas été proprement un homme politique ni même un philosophe politique, mais un être de pensée et d'action, qui a eu une intention, qu'il a lentement éprouvée et réalisée au contact des faits. Et son intention, son choix existentiel, choix de lui-même et du monde, a été d'insérer dans une matière humaine réfractaire et suivant les conditions d'une époque révolutionnaire, les exigences spirituelles et charnelles de la personne.

C'est pourquoi les textes ici rassemblés montrent divers aspects du dialogue politique de Mounier. Ses rapports avec les communistes sont assez connus. C'est la raison pour laquelle on n'y consacre dans ce livre que peu de pages. On a tenu cependant à ce qu'elles y figurent comme un rappel nécessaire. Selon Mounier, un des grands mérites du marxisme a été de pourchasser les subtilités de la vie intérieure, de décrasser l'esprit. Il a salué en lui la plus puissante réaction moderne contre la décadence « idéaliste ». En langage scolastique, Maritain disait que la grandeur de Marx c'était la réhabilitation de la « cause matérielle ». Mounier y ajoutait qu'on ne peut s'en tenir à cette analyse théorique et que, si le marxisme est en quelque sorte la philosophie immanente du prolétariat, on doit toujours le critiquer en s'efforçant de ne pas atteindre celui-ci. Aujourd'hui comme hier l'anticommunisme passionnel est la plus efficace défense du « désordre établi ». Mais en même temps il importe de dévoiler les insuffisances théoriques du communisme, insuffisances qui se manifestent nécessairement par de tragiques fautes historiques. « En vidant l'individu de son intériorité et le monde de son mystère, en affirmant l'immanence sans la transcendance et le temps sans l'éternité, le marxisme s'est privé de toute une dimension du réel; car il faut aussi se jeter dans les profondeurs intérieures pour bien lire les secrets de la nature. Contre Marx, nous affirmons qu'il n'y a de civilisation et de culture humaines que métaphysiquement orientées. »

Les textes sur l'anarchie sont moins connus. L'erreur serait de les tenir pour épisodiques ou secondaires. L'anarchisme est trop souvent caricaturé. On oublie son rôle en Italie, en Espagne, en Russie : en 1917, les premiers Soviets furent l'œuvre d'anarchistes. En France l'influence de Proudhon reste capitale. Ce qui a d'abord intéressé Mounier, c'est le côté humain de cette pensée : elle ne peut être détachée des hommes qui l'ont vécue, des intentions qu'elle a rejointes ou réveillées dans l'intérêt populaire. L'article de Mounier est d'avant-guerre (1937). Pour mon compte, j'avais consacré une étude fort sympathique à Proudhon, défini par la souveraineté du Droit. Landsberg enfin avait apporté à *Esprit* une compréhension profonde de l'anarchisme. Entre lui et le personnalisme il y a, malgré d'évidentes différences, une sorte d'inspiration commune. Si l'analyse reste souvent insuffisante, c'est à la personne qu'il pense quand il défend l'individu. Bien loin d'être individualiste, la théorie anarchiste est essentiellement sociale. Elle l'est même tellement qu'elle croit volontiers la sociabilité humaine naturelle, spontanée, harmonieuse, pouvant et devant par conséquent se passer des contraintes étatiques. Bakounine affirmait qu'on ne devient libre que par la liberté des autres. Peut-être pourrait-on dire de l'anarchisme qu'il est le remède spécifique contre tout totalitarisme. La cité socialiste elle-même, si elle doit s'établir, ne sera viable que par ce qu'elle saura maintenir d'esprit anarchiste en elle. Les anarchistes se méfient de toute institution, et c'est leur utopie. Mais en privilégiant le souci de la formation doctrinale et morale des hommes, ils défendent toute société contre la contrainte et la tyrannie. N'est-ce pas Proudhon qui identifiait la liberté et l'ironie et voyait en elles ce qui sauve de l'esprit de pesanteur?

Enfin le traité de la mythique de gauche est d'une brûlante actualité. Schématiquement, suivant Mounier, l'adhérent d'*Esprit* est un homme de gauche qui se sent mal à l'aise dans tous les partis de gauche. D'abord Mounier ne voulut se situer ni à droite ni à gauche, estimant ces expressions dépassées. Mais il comprit vite que, suivant la formule d'Alain, celui qui déclare n'être ni de droite ni de gauche est précisément un homme de droite. Il lui fallut bien alors opter et se situer à gauche, tout en critiquant l'expression. Il est caractéristique qu'il refuse les « partis pris » de droite et les « conformismes » de gauche. Le diagnostic est sûr.

Ce qui caractérise la gauche, qui fut le parti du mouvement, c'est le conformisme. Elle est donc à repenser entièrement. Remontant des faiblesses évidentes jusqu'au principe qui les cause, Mounier découvre dans l'antagonisme inaperçu de la liberté et du bonheur la source ultime de ses divisions et de ses impuissances. Pain et Liberté, la formule est belle, mais un gouvernement peut distribuer le pain en refusant la liberté — c'est ce que Panaï Istrati appelait l'Organisation contre l'Homme — et l'homme libre peut être obligé de se passer de pain. La politique de gauche veut-elle être une politique du bonheur ou de la liberté, du bien-être ou de la générosité? C'est ici sans doute qu'une sorte de sève anarchiste élémentaire devrait inspirer les hommes de gauche. Ce problème est encore notre problème, et c'est celui que l'on discute partout. Il ne s'agit certes pas de contester une politique de croissance et de développement, mais de refuser une civilisation du « bonheur sensible », comme disait Kant. Pour cela, des institutions sont aussi nécessaires qu'insuffisantes. Il faut certes faire un effort d'invention, institutionnaliser de nouveaux dialogues, comprendre ce passage de la « démocratie gouvernée » à la « démocratie gouvernante » dont parle Burdeau. Mais aussi il faut élever, éduquer les hommes. Si Mounier a étudié la politique de son temps, c'est qu'il était essentiellement un éducateur.

Ainsi se dégage, espérons-nous, ce qui fait le caractère si particulier des pages qu'on va lire : elles constituent un certain *dialogue du politique et du spirituel.* Mounier a réalisé sa tâche particulière, sa vocation propre : envisager la personne en fonction des situations personnalisantes ou dépersonnalisantes, en dehors desquelles tout discours sur la personne demeure abstrait et moralisant. C'est pour cela qu'il a découvert le sérieux du politique, comprenant que, s'il n'était pas premier dans l'ordre de la valeur, il l'était du moins dans l'ordre de l'urgence. Le politique nous apprend que la défense du spirituel désincarné est la pire mystification. C'est dans ses incarnations multiples, pratiques, quotidiennes, dans ses incarnations politiques et sociales qu'on éprouve authentiquement la valeur de la spiritualité. La critique hégélienne de la « belle âme », c'est-à-dire de l'âme sans le monde, est entièrement valable. Il y a une forme de personnalisme que Mounier a toujours pourchassée et qu'il appelait l'intimisme. Aussi n'y a-t-il nul paradoxe à publier à part des textes politiques de ce mystique, car dans sa politique même toute sa spiritualité est présente, non pour remplacer les analyses techniques, mais pour s'y incarner.

JEAN LACROIX.

CHAPITRE I

Court traité de la mythique[1] de gauche

La justice est à gauche, l'ordre est à droite [2]. Ce fut longtemps l'ABC de toute politique. Et ce fut longtemps, c'est encore en gros dans les pays où sévit une sorte de démocratie libérale, une vérité approximative. Mais la gauche, aujourd'hui si profondément scindée, était-elle une réalité homogène, une assise solide et sans faille, même quand elle paraissait unie? Ne portait-elle que des promesses de justice, ou n'était-elle pas une boîte de Pandore dont les bonheurs et les malheurs du siècle allaient sortir?

PROTÉE

« La France est radicale », Barrès déjà le disait, avec une moue, vers la fin de sa carrière. Là-dessus il se retirait dans sa bibliothèque. Est-ce tout ce qu'il y a à dire? Surtout, est-ce tout ce qu'il y a à faire? Les réflexions qui suivent naissent de la même désolante constatation, mais plus encore du besoin d'en tirer quelque leçon de réalité.

De même qu'il y a en France un fait religieux, avec lequel

1. Néologisme n'est pas mortel : l'usage décidera. Mais enfin, il est temps de sortir *mystique* des mauvais lieux et de le réserver, hors du sens religieux, au sens péguyste : une doctrine, un mouvement d'action dans l'intégrité de son inspiration et la ferveur de sa jeunesse spirituelle, vivant dans des cœurs vivants. *Mythologie* est trop spécial. Si l'on dit *mystique* pour désigner le lieu, la science et l'expérience des mystères, si l'usage a réservé *mythologie* à l'étude des mythes religieux, nous avons besoin de *mythique* pour nommer le lieu, la science et la pratique des *mythes* généralement considérés : ainsi dit-on la mathématique, la maïeutique, etc.

2. Ce texte publié en mars 1938 a été repris dans *les Certitudes difficiles*, Le Seuil, 1951, et dans le tome IV des *Œuvres*, Le Seuil, 1963, p. 40-75. (N.T.E.)

les radicaux, puis les communistes ont dû apprendre à compter, il y a, qu'on s'en réjouisse, qu'on s'y résigne ou qu'on en rage, un fait « gauche », qu'on ne saurait traiter en tout cas comme une création artificielle des politiciens. Nous voudrions essayer, après tant d'autres, de le saisir, mais à l'aide d'expériences nouvelles et de références plus éclairantes que la seule lucidité critique. Il est indispensable, pour y parvenir, de laisser à la porte aussi bien les lieux communs apologétiques que les lieux communs polémiques. Est-ce trop demander?

On l'a cent fois dit, mais pas encore assez sans doute pour que chacun l'entende : à interroger le contenu rationnel des mots, aucune opposition n'est plus décevante, même sur le seul plan politique, que l'opposition gauche-droite. Essayons de la fixer sur un contenu quelconque, elle devient indéfendable. Dira-t-on que la gauche, c'est la Révolution contre l'Ordre? Mais la république des radicaux est une république bourgeoise, le rêve de bien des socialistes est un rêve bourgeois, et la droite est habituellement flanquée d'une aile révolutionnaire, voire insurrectionnelle. — Le déraciné contre l'enraciné, l'ouvrier et l'intellectuel contre le paysan et le propriétaire? Mais la démocratie radicale et socialiste est pour partie une rurocratie, pour partie une garde nationale des petits rentiers. — La justice et la propreté contre l'argent? Il faudrait oublier les affaires Wilson, Panama, Stavisky, l'immortel cri de guerre de 24 : « A nous, toutes les places, et tout de suite », les avocats d'affaires et les radicaux de banque. Et le pape est un peu plus social, on l'avouera, que M. Émile Roche. — La liberté contre la tyrannie? La Compagnie de Jésus est un jardin d'enfants à côté de l'organisation du Parti communiste, et il ne déplaisait pas à l'entourage de Combes d'installer la dictature de la libre pensée. — La Science et le Progrès contre l'obscurantisme? La science de 1880 contre celle de 1938? Sébastien Faure contre Pascal? Bayet contre Jésus-Christ? Marceau Pivert à la table de Nietzsche et de Voltaire? Merci pour le progrès. — L'anticléricalisme? Il me semble qu'on le trouve aussi virulent chez Maurras et chez Hitler que rue de Valois ou à l'*Humanité*, et qu'il est même plutôt question ici, de le liquider. — La Démocratie contre les tyrans? Par exemple : Staline contre George VI? — Le parti des sans patrie? Voir 93, la Commune contre le Siège, Gambetta et le jusqu'au-boutisme républicain, Barthou et la loi de trois ans; et pour les dernières sources, lire l'*Huma*, chronique militaire.

On n'en sortira pas. Il faudrait, pour épuiser l'analyse, distinguer au moins trois gauches : une gauche radicale et bourgeoise, une gauche anarchisante, une gauche césarienne; la première ne désire pas un autre style de vie que la plupart des troupes de la Fédération des contribuables, ce réservoir de haute mystique; la seconde a de fortes parentés du côté de chez Drumont, Barrès, Daudet (un récent hebdomadaire d'extrême-droite brandissait le drapeau de Vallès); et sous la troisième il ne ferait pas meilleur vivre, sans aucun doute, que sous la botte militaire ou fasciste. Encore une telle description fixerait-elle trois masques définis là où nous ne trouvons que des expressions dominantes, mobiles et composées entre elles. Le petit-bourgeois radical porte en lui, qui le fait voter à gauche, une irréductible méfiance des pouvoirs. Le radical de grande race penche au contraire vers des tentations proconsulaires. L'anarchisme ne vit guère qu'à l'état diffus, du militant syndical aux élèves d'Alain. Staline à Paris chante la Marseillaise, et empoche tout l'héritage spirituel du républicanisme orthodoxe. La raison peut jeter l'anathème : rien n'est plus résistant et moins formulable que ce composé instable, chimiquement baroque, qu'on appelle la gauche, et qui survit depuis un siècle à la déraison comme au déshonneur. Quand donc nous aurons satisfait à notre premier devoir d'intellectuels en dénonçant une sorte d'intimidation qu'exerce sur la pensée politique une aussi confuse notion, nous serons quitte avec la logique, nous ne le serons pas avec la raison. Une intelligence qui, plus encore que de distribuer des prix de maintien, se soucie de ne méconnaître aucune réalité, doit se colleter avec cette résistance jusqu'à ce qu'elle lui ait arraché son secret.

PHÉNIX

Il nous est donné chaque jour de l'apercevoir. Voici un esprit ouvert, apparemment dégagé de passions. Vous le poussez fort loin dans l'examen sévère des actes de son parti, et le ton sur lequel vous menez le débat fait que vous poursuivez une conversation plus qu'une polémique. Mais, tout à coup, vous sentez qu'une de vos paroles vient de toucher un point douloureux, dans vous ne savez quelle zone confuse, et de déclencher un brusque réflexe d'alerte. Jusqu'ici votre interlocuteur parlait tout à son aise d'objets précis, actuels. A cet arrière-plan de ses jugements où vous venez de le blesser, vous voyez son discours se ramasser sur une défense primaire, des mots éprouvés et vieillots, usés dans cent batailles, se pressent comme une vieille garde au-devant de la menace héréditaire. Tout se passe comme si un dialogue d'homme à homme venait de se clore, mettant à découvert des formations de combat jusque-là invisibles qui soutenaient en permanence, derrière cet homme particulier, une sorte de front historique. Vous vous imaginiez devant un théâtre que traversaient les personnes et les faits du jour, et voilà que par un tour de scène vous voyez Gambetta dressé contre Broglie, Combes contre Ribot, Jaurès contre Clemenceau. Vous pensiez parler à un vivant, vous voyez se dresser un comité de salut public.

Ce seuil organique de réaction, nous le retrouvons dans ce vaste dialogue de la droite à la gauche qui domine l'histoire de la IIIe République. C'est entendu, les métaphysiques, les tactiques, les intérêts, les tempéraments, les milieux sociaux taillent le drapeau des gauches dans un manteau d'Arlequin zébré de coutures et heurté de couleurs. Certains de ces hommes sont violents, d'autres sont des hommes doux. Mais essayez de toucher au principe même. « Alors, dit Alain, qui s'y connaît en susceptibilité républicaine, adieu douceur. Aux armes, citoyens, comme dit la chanson. » On peut démontrer, avec l'évidence pour soi, qu'entre le marxisme d'un socialiste et le rationalisme libéral d'un radical de type courant, entre le collectivisme du premier et le conservatisme avisé du second, la raison et l'honneur politique exigent une coupure, qu'entre le radical au contraire et tel homme placé à sa droite... Mais vienne un de ces dangers où ces deux gauches hétréoclites sentent « la république » menacée, la république au singulier, sans que des précisions semblent nécessaires sur le passé qu'on en assume ou l'avenir qu'on lui projette, et vous les verrez unanimes! « L'union des gauches, en conclut Alain, n'est donc pas de circonstance, mais de nature. » C'est qu'il perçoit dans les réactions vitales de la gauche, sinon dans tous ses actes, un avertisseur élémentaire, qui peut fonctionner aussi bien dans un catholique que dans un radical, un socialiste ou un communiste. La coupure idéologique est entre le radical et le socialiste, la coupure organique, celle que la vie creuse à chaque alerte quand bien même elle la relâche entre-temps, est entre le radical et le modéré. Scandalisons-nous : mais rendons compte d'abord du fait Jaurès, du Cartel, du Rassemblement populaire. A quand la thèse sur « l'union des gauches dans la IIIe République »? Elle passera par les seuls moments où la république retrouva ses ferveurs de jeunesse, ses moments, eût dit Péguy, de plus haute mystique.

Voilà le fait auquel nous nous heurtons par delà toutes les analyses et tous les procès moraux. On a ou on n'a pas, comme on dit, la tripe républicaine : cela dépend de circonstances biographiques dont personne n'est maître; et celui qui n'aura pas passé sa jeunesse dans des conditions qui lui fassent sentir la précarité des libertés, dont on n'aura pas imprégné la mémoire, très tôt, d'une imagerie qui lui donne cette sensibilité d'alerte, il pourra n'être pas moins attaché aux libertés fondamentales bien que, y vivant plus à l'aise, il en sente les défauts plutôt que le prix. Quand nous parlons de sensibilité républicaine, nous évoquons un fait qui résiste à l'analyse, et nous n'en jugeons pas à la charge affective qu'y peuvent apporter des circonstances accidentelles.

Ceux qui n'ont de réaction, devant ce fait, que le sourire ou le sarcasme, qu'ils relisent *Notre jeunesse :* « Faites attention, leur dit Péguy l'anticomitard, ne parlez point si légèrement de la république, elle n'a pas toujours été un amas de politiciens, elle a derrière elle une mystique, elle a en elle une mystique, elle a derrière elle tout un passé de gloire, tout un passé d'honneur, et ce qui est peut-être plus important encore, plus près de l'essence, tout un passé de race, d'héroïsme, peut-être de sainteté... » Des générations de jeunes bourgeois, répétant de père en fils les formules de Joseph de Maistre, opposent à l'homme « naturel », à la société « naturelle », au pays « réel », l'« idéologie de 89 », comme si les paysans de La Bruyère et les ouvriers de la rue Transnonain, Baudin sur sa barricade, Daumier et Courbet, les masses ouvrières, des Workhouses à la Commune, de Babeuf au 12 février, les chrétiens, de l'*Avenir* à Lamartine, à Buchez et au Sillon, n'avaient poursuivi, pendant deux siècles de sanglante histoire, d'autres exercices que des exercices de rhétorique; comme si cette sensibilité républicaine, si fébrile à la moindre alerte, si frémissante au moindre réveil, était le produit d'un délire verbal ou, pour reprendre le mot de Clemenceau, l'invention collective d'un concile de pions.

La facilité avec laquelle le peuple français, en période de crise, retombe sur ses habitudes radicales-socialistes n'est peut-être que le signe déficient, faute de choix, de la promptitude organique avec laquelle il se ramasse sur son instinct républicain. Nous touchons ici, à travers le politique, à une réalité constitutive de la France contemporaine. Il n'y a pas pour la France de redressement, fût-il accompagné d'un renouveau métaphysique et d'une transfiguration spirituelle, qui puisse prendre une autre ligne d'élan, dans le politique, que cette ligne d'histoire le long de laquelle vibre avec une force soutenue un certain sens républicain. Le régime formel ne fait rien à l'affaire. Comme, en ce sens, le communisme français a dû montrer une patte républicaine, une royauté française ne saurait, en ce sens encore, se faire accepter que républicaine. Car derrière quelques aspects fondamentaux de cette sensibilité, nous touchons à un tempérament collectif, et peut-être plus loin encore, à une vocation nationale dont le contenu ne s'épuise pas sur le plan politique.

LE DIEU INCONNU

A cet alliage d'un contenu intellectuel confus ou contradictoire et d'une réalité résistant à l'analyse et à la réfutation, nous avons reconnu deux caractères classiques du mythe. Le troisième, c'est une sorte de puissance sacrée qu'il fait peser sur ses fidèles, et qui donne à leur adhésion un caractère à la fois amoureux et contraint, révélateur de la tyrannie sentimentale par laquelle il s'impose : « Éloquence qui persuade par douceur, non par empire, en tyran, non en roi. » Thibaudet a écrit quelques pages pétillantes sur le « sinistrisme » immanent à la sensibilité de la plupart des Français, l'intimidation qu'exerce sur leurs esprits le seul mot de gauche (avec ses variantes : les idées *nouvelles*, les idées *avancées*, les idées *larges* et toute une série de formules satellites). Des partis modérés l'arborent avec la même psychologie commerciale spontanée que le fabricant de conserves qui appelle mi-fins ses petits pois les plus gros, une demi-finesse paraissant plus fine, au client qui cherche la finesse, qu'une demi-grosseur. C'est Thibaudet encore qui nous conte l'histoire de ce député à qui un gros électeur demande : « Quel est votre parti maintenant? — Toujours radical-socialiste, comme quand vous m'avez nommé. — Mais alors, vous n'avancez pas! » Le « pas d'ennemis à gauche » peut-être tempéré par le tartarinesque « Toujours à gauche, mais pas plus loin »; mais la gauche (voyez le néo-communisme) sait toujours sécréter un « plus à gauche » qui reste « pas plus loin » au goût de Tartarin-flanelle. Et Thibaudet conclut à juste titre que ce mouvement vers la gauche s'impose à l'esprit de beaucoup de Français comme une sorte de mouvement pur, une pulsion immanente du dieu en regard de laquelle tout recul, bien plus, tout arrêt est ré-action.

Toutefois, on méconnaît dangereusement la force et la signification de ce mythe de gauche, si on n'y veut voir qu'extravagance de l'esprit, échauffement, affectation, compliqués de la crainte petite-bourgeoise de ne pas paraître à la page. Tous ces mécanismes composent, et dominent peut-être dans les formes les plus vulgaires de passion politique. Mais regardez cet instituteur, ce militant syndical : il redoute de n'être pas assez à gauche avec la même crainte religieuse que le chrétien de n'être pas assez fidèle, le poète de perdre la poésie, l'amant de mal aimer. Ils ne sont pas assez affranchis d'un certain désordre : une époque qui a perdu toute autre raison de vivre, se forme à la hauteur du politique — c'est-à-dire assez bas — une sorte de religion grossière, plus idéologique que métaphysique et sentimentale plus que religieuse, qui ramasse sur elle le désordre brouillon d'une pensée publique abâtardie et d'une spiritualité sans amarres. L'ambition de penser et l'aspiration à un dépassement de l'homme n'y sont pas moins présentes et même, au double sens du mot, déchaînées. Si cette lâtrie de gauche consistait, comme on l'en accuse fréquemment, à réduire aux mesures électorales toute dimension humaine, elle serait vite épuisée et déconsidérée par une indigence aussi évidente. Mais l'état dans lequel elle maintient ses fidèles est un état plus mêlé. On pourrait paraphraser Pascal en disant qu'il consiste en un projet confus où ils jugent des choses spirituelles politiquement, et des politiques, spirituellement. On s'interroge si Dieu est à droite, et on vous demande de choisir un magistrat municipal pour ou contre l'Immaculée Conception. Ce mélange des ordres est le signe, même chez le politicien, d'un instinct métapolitique qui laisse quelque espoir de l'arracher à son mythe; mais rien n'est dégradant pour l'esprit comme le perpétuel quiproquo qu'il entretient, et ce n'est qu'après l'avoir brisé qu'on en libérera les forces emprisonnée.

Si c'était ici notre propos, nous retrouverions à droite les mêmes confusions massives. Sans nous en écarter de plus de quelques pas, nous pouvons aller voir comment joue encore, sur la ligne même de partage des eaux, cette sorte de répulsion sacrée que les deux forces inverses exercent l'une sur l'autre. On ne le saisira nulle part mieux que sur le petit groupe des démocrates chrétiens, qui forme une sorte d'Andorre paisible et bienveillante à cheval sur les hauts cols de la politique, et paye alternativement tribut aux puissances des deux versants. Sur la foi de l'*Action française* on est accoutumé de les appeler « catholiques de gauche » et on les croit dans leur ensemble affectés par le virus du « sinistrisme ». Or s'il est vrai qu'aucun de ses adeptes n'échappe sans doute au champ de force « sinistre », de voltage plus puissant que le champ contraire, on les voit se partager cependant en deux familles. Les uns craignent toujours de se fermer sur leur gauche et de n'être pas couverts sur leur droite. Ils présentent, plus ou moins atténués selon qu'ils prennent de plus ou moins haut leur perspective chrétienne, les symptômes classiques du « sinistrisme », aggravés chez quelques-uns, rares d'ailleurs, par leur tendance à gauchir le spirituel plutôt qu'à spiritualiser la gauche, comme semble les y vouer la situation qu'ils ont choisie. Les autres craignent toujours de se fermer sur leur droite et de n'être pas couverts sur leur gauche. La gauche exerce encore sur eux son intimidation par la crainte qui les hante d'y être classés. Ils ne sont pas sans penser parfois « avancé », mais l'exposé même de ces pensées aventureuses est comme une perpétuelle justification devant une droite invisible et accusatrice. Ils répugnent au péché capital de conservatisme, mais au fond de leur conscience comme de leur sensibilité, le glissement à droite, à condition qu'il soit véniel (un peu à droite mais pas plus loin), est le péché avouable, comme la gourmandise, l'impatience, la médisance; c'est le péché vers la gauche qui porte la marque inquiétante du fruit défendu. Pour leur tranquillité, il est bon qu'un groupement de cette inspiration, mais plus compromis, les couvre sur cette frontière dangereuse et minimise par ses propres écarts ceux qui peuvent leur échapper. Je lierais injustement des étiquettes à des états limites si je disais que la première famille se trouve plutôt chez elle à la *Jeune République*, la seconde au *Parti démocrate populaire*, mais ces noms nous aideront à nous repérer grossièrement. Un réducteur aussi puissant que des croyances transcendantes communes n'a donc pas empêché, au sein d'un tempérament politique qui a malgré tout son unité, la formation du clivage gauche-droite : c'est une leçon suffisante, semble-t-il, pour ceux qui ne veulent y voir qu'un tour de foire dont les malins auront vite raison.

De multiples expériences politiques semblables à celle-ci nous ont convaincus que l'antinomie est irrésoluble sur le seul plan *politique*, auquel elle n'abandonne qu'une faible part de sa réalité. De son étude de l'éventail politique, Siegfried concluait déjà que « le centre », où les gens raisonnables souhaiteraient voir s'établir comme un plateau stable pour y asseoir les intérêts et les idées saines, n'est qu'une abstraction incapable de prendre corps, une arête effilée entre deux pentes fatales, ou, dans la mesure où il occupe une surface, la surface d'enchevêtrement des positions légèrement mobiles de cette arête. Cette conclusion empirique ne nous suffit pas. Ce qui donne à la droite et à la gauche leur puissance répulsive, leur intolérance mutuelle, c'est la concentration de puissances spirituelles, historiques, affectives et idéologiques qui chargent l'une et l'autre, qui agglomèrent le mythe par-dessous l'agiotage politique. Elle agit sur les partisans comme un excitant massif, aucun d'entre nous n'a absorbé quelque nourriture politique qui n'en ait reçu une certaine dose de l'un ou de l'autre poison. Le seul moyen de l'éliminer, c'est d'en rompre les éléments chimiques, qui entraînent le meilleur avec le pire : non pas seulement dans une analyse théorique et notionnelle, qui n'atteindrait que des justifications et des superstructures, mais par une analyse essentielle et vécue, engageant des ruptures, des dissociations lentes, des liaisons nouvelles, un redressement intérieur des pensées et des actes, une restauration des structures, des ordres, et de leurs liaisons vibrantes, bref, une action organisée en sens inverse des réalités et des tactiques que les politiciens résument dans le mot « bloc ». *Débloquer l'esprit politique*, voilà la tâche personnaliste par excellence.

MON PÈRE GARDEZ-VOUS A « NI DROITE NI GAUCHE »

Cette tâche, elle n'est pas sans analogue dans notre action. Quand nous avons voulu rassembler chrétiens et non-chrétiens sur les points les plus exposés de la civilisation, nous n'avons pas trouvé une situation claire. Les valeurs chrétiennes paraissent solidaires du désordre établi où le monde chrétien les avait compromises et des idéologies de justification qui en avaient plus d'une fois discrédité jusqu'à la signification courante. Un anticléricalisme de combat qui atteignait dans son élan jusqu'à la réalité religieuse elle-même, en tirait la justification de ses exclusives les plus partisanes. Une exclusive en sens contraire lui faisait pendant, contre des classes, des réalisations ou des idées dont beaucoup de chrétiens s'écartaient, sans autre préjugé, parce qu'elles leur apparaissaient dirigées contre leurs valeurs suprêmes. Nous avons travaillé à dissocier le christianisme du désordre établi, afin que les chrétiens puissent restaurer les valeurs chrétiennes dans leur intégrité et leur fécondité révolutionnaire. Pareillement, si nous nous tournons vers un autre horizon, nous rencontrons à gauche des valeurs spirituelles et des réalités politiques, liées à des idéologies contestables et à des politiques dégradantes. Leurs adversaires proclament la faillite de la gauche avec la même fureur fanatique que certains mettaient naguère à annoncer la faillite de la science ou la faillite des religions. Sauver ce qui mérite d'être sauvé, accepter de l'adversaire cette ascèse féconde à laquelle il vous provoque, chercher à rencontrer les hommes sous les partis, le ton même de leurs attaques dit avec évidence que c'est là le dernier de leurs soucis. Leur critique partisane atteint, elle veut plus ou moins consciemment atteindre, sous les politiques et les idéologies qui parasitent la république, la *virtus* républicaine elle-même, et parfois jusqu'à ce « plus près de l'essence » dont parle Péguy, où l'attitude n'est que l'expression maladroite et insuffisante d'une attitude qui déborde le politique, et peut-être le transcende.

Indépendants par position des conformismes de gauche comme des partis pris de droite, nous avons quelque chance, et un devoir certain de briser cette solidarité des réalités et des valeurs défendues par la gauche avec les politiques ou les systèmes qui les encadrent : ainsi d'une part libérerons-nous de la déformation polémique le procès urgent de la mythique de gauche, et pourrons-nous lui donner toute sa force de vérité; en même temps nous aiderons à sauver et à agréger au patrimoine commun les valeurs indiscutables et les réalités solides que trop de Français refusent encore de reconnaître à cause de leurs fréquentations passées.

Cette attitude, on s'en doute, n'est pas la plus facile. Qu'on se garde d'y voir une sorte d'énervement de la pensée. Elle ne nous demande pas de renier nos fidélités, qu'elles soient de celles qu'on localise à droite ou de celles qu'on localise à gauche. Elle arrache de nos jugements les racines qui les nourrissent de la passion héréditaire, de l'intérêt ou de la haine. Elle ne nous détache pas, elle nous charge, en plus de nous-mêmes, de nos amis et de nos adversaires : elle nous appelle à faire pour nous-mêmes l'ascèse de nos convictions, pour nos amis l'ascèse de nos idées et de nos conduites communes, pour l'adversaire l'ascèse même de la cause qu'il nous affronte, lui rendant justice et lui rendant vérité selon la mesure exacte qui lui est due, pour triompher avec sa vérité contre ses puissances négatives.

C'est ce que nous avons exprimé à notre départ dans la formule *ni droite ni gauche*. Elle ne signifiait pas pour nous je ne sais quelle impartialité inhumaine, encore moins une affectation d'intégrité, car, nous venions les uns et les autres à l'œuvre nouvelle tout embarrassés encore des expériences diverses de notre adolescence. Elle était l'affirmation d'une bonne nouvelle politique. Ni droite ni gauche, ni grecs, ni juifs, nous ne reniions pas nos sangs divers, mais, les uns par vocation, les autres par décision, nous prenions notre point de départ et placions notre ligne de visée sur un plan radicalement transcendant au politique, bien que recoupant aussi le plan politique. A notre manière, nous disions au monde des politiciens : « Notre royaume n'est pas de votre monde. L'homme, ses problèmes, sa civilisation, sa vérité métaphysique aussi bien que son histoire la plus engagée, l'actualité comme vous dites, tout cela est à une distance dont vous n'avez pas la moindre idée de ces idéologies contradictoires, de ces volontés brouillonnes et de ces instincts déguisés que vous classez en droite et en gauche. »

En ce sens nous assumons encore la formule; elle n'est qu'une manière particulière de définir notre position essentielle. Il faut ajouter que c'en est le seul sens précis, honnête et sans danger. L'expérience l'a montré depuis.

Son emploi, en effet, se généralisa à tel point pendant les années 30-35 que l'on put croire, autour d'elle, à quelque unanimité nouvelle de la jeunesse française.

Mais il apparut bientôt qu'elle n'était pour certains qu'une manière neuve de se situer à droite. (Si d'autres s'en étaient avisés, elle eût pu être aussi bien une nouvelle manière de se situer à gauche : mais le sinistrisme immanent montait la garde...) « Formule fasciste », disaient alors les communistes. C'était généraliser pour les besoins de la polémique, mais il est certain que, dans plus d'un cas, la formule porte le germe de l'esprit fasciste, le complexe fasciste naissant d'une désaffection de la droite traditionnelle aussi bien que de la vieille gauche. La volonté de puissance, l'argent, la haine, l'esprit de caste, les impérialismes ne sont en effet pas plus de droite que de gauche. Mais quand, se proclamant indépendant des mythiques périmées, on refuse de se prononcer clairement à leur endroit, on ne fait alors que couvrir par une symétrie mensongère un parti pris dont la partialité éclate, qu'elle soit consciente ou confuse.

Pour une autre catégorie de gens l'expression satisfait, par un équilibre dialectique et une sorte de gravité morale, leur impuissance radicale de choisir et de s'engager, ainsi que bien souvent, à son origine, chez les plus idéalistes, une ignorance complète de la réalité historique et politique. Ni droite ni gauche, ni fascisme ni communisme, ni capitalisme ni collectivisme, ni nationalisme ni cosmopolitisme, ni tyrannie ni anarchie, on allonge sans fin la liste des couples discrédités. Les consciences moyennes et les imaginations faibles y trouvent l'assurance qu'elles tiennent la ligne de crête du bon sens avec leurs comportements à courte vue et leurs sagesses confortables. La méthode nourrit aussi l'ivresse iconoclaste de ces dévots de la négation, de l'abstention, de l'opposition et de l'excommunication, qui ne sont heureux que là où ils se sont persuadés être seuls, et qui trouvent dans cette lutte contre deux horizons conjurés, un moyen indéfini d'écouler leurs humeurs chagrines. La formule tente enfin des hommes plus scrupuleux, qui se guident par le souci de l'indépendance spirituelle et de la bonne information, et ont un certain sentiment que les extrémités logiques, sinon les vraies folies du cœur et les vraies audaces de la pensée, ont toujours tort. Mais les voilà bientôt déformés par cette mécanique. A peine un problème se présente-t-il à leur esprit, qu'il s'engage dans la machine à trois leviers. Aux difficultés précises, elle substitue un schématisme abstrait, à la résolution progressive et à l'effort direct, une solution-minute, laquelle semble sortir d'un de ces appareils à dévoiler l'avenir qui dans les foires distribuent aux foules le sens du mystère. Une certaine manière de dénoncer partout les « pseudo-dilemmes » aboutit ainsi, sous prétexte de police intellectuelle, à ne relever, des attitudes complexes qui se pressent autour d'un problème vivant, que des symétries déplaisantes, dont on chercherait en vain la réalité hors des exposés d'école. Le procédé arrive à jeter une suspicion de principe sur l'acte même du choix : car lui aussi se présente comme une alternative, exige des engagements violents et exclusifs. Des esprits peu formés et de bonne volonté, à force de se méfier des alternatives inhumaines, viennent à penser par là que l'abstention est la seule vertu sans mélange. Ils se fixent sur des valeurs moyennes, et ce n'est pas par médiocrité originelle d'inspiration; ou bien on les voit louvoyer de droite à gauche, et ce n'est pas par duplicité de doctrine ni par défaut de courage. Le remède a tué le malade.

On comprend la méfiance qu'inspire une formule riche de ces malentendus à ceux dont la fidélité de gauche, avec toutes les erreurs que l'on voudra, comporte plus que des réflexes partisans : l'attachement à certaines valeurs politiques, voire plus ou moins explicitement spirituelles, qu'ils tiennent pour fondamentales, et la fraternité avec certaines causes abandonnées auxquelles tant d'hypocrites impartialités, d'abstentions distinguées, de doctrinarisme obtus ou de velléités incertaines semblent insulter plus durement que l'opposition directe et intéressée. La défiance des passions politiques et des imaginations débiles pour une action qui s'invente hors de leurs cadres arrêtés est simplement indifférente à ceux qui en sentent le besoin, car rien n'a raison contre l'invention. Mais les méfiances que nous invoquions à l'instant ont une signification bien plus acceptable, lors même qu'elles ne seraient pas toutes dégagées de préjugé. Elles sont un avertissement contre l'automatisme d'une dialectique abstraite, contre un conformisme du non-conformisme. Dans cet usage qui, étant le plus paresseux, est devenu le plus fréquent, la formule « ni droite ni gauche » retombe au niveau qu'elle voulait transcender, elle introduit un « tiers-parti » aussi sommairement politique, aussi intellectuellement confus, aussi spirituellement indigent que les partis pris de droite et de gauche. Elle n'a déconcerté le jeu abstrait des politiques qu'en y entrant à son tour, et le compliquant d'un nouveau rôle. Son principal effet aura été d'y ramener, sous la bannière même qui devait les affranchir, ceux qui commençaient d'en découvrir la vanité.

On peut lui demander d'importants services polémiques, lui assigner une fonction préparatoire, comme vaincre l'inertie des partisans décidément trop obtus, ou rompre les barrières qu'ils dressent à une pensée et à une action positives. En aucun cas elle ne peut être un principe de recherche, un élément de définition. La négation de deux automatismes, qui ne repose que sur soi, installe un nouvel automatisme. De nouveaux principes d'action se façonnent par la réflexion directe sur une explosion active, et non pas sur le décret de quelques contingentements logiques.

Les premières étapes de cette exploration déconcertent le spectateur du dehors. Ces hommes qui vont avec une philosophie et une intention fermes à l'épreuve des pensées politiques commençantes que leur inspire leur conviction personnaliste, comment peuvent-ils ainsi flotter, louvoyer? C'est pourtant la marque de l'expérience, le signe que leur combat est un combat réel.

Il faut ici parler spécialement sans doute de ceux auxquels l'on reproche, parce qu'ils accordent généreusement certains crédits, d' « avoir le cœur à gauche ». Qu'est-ce à dire, dans la situation spirituelle que nous venons de rappeler? On peut évidemment se dire personnaliste et avoir la tête confuse, le réflexe résistant. S'il est de nos amis qui donnent dans ces faibles, cette étude dans son ensemble leur est une mise en garde. Mais je pense à quelques-uns que je connais, dont la tête est bien faite et la sensibilité critique. Issus de la bourgeoisie, petite, grande ou moyenne, ils ont longtemps, comme il est d'usage dans leur milieu, localisé à gauche le désordre établi. Socialisme, parlementarisme, anticléricalisme, république des camarades, défaitisme, révolution, on a bloqué toutes ces notions dans leur sensibilité enfantine sur des images répugnant au sens de l'honneur et de la générosité, que par ailleurs on leur inculquait. Un jour ils découvrirent que des hommes vivaient généreusement derrière ces mascarades, que sous le grouillement des politiques, qui se trouvent en tous lieux, cette gauche couvrait quelques causes essentielles de la civilisation contemporaine. Heureux qu'ils n'aient pas cédé — ô clairvoyants éducateurs! — à tant d'indignation contre leur préjugé passé, qu'ils n'en soient passés à l'extrémité contraire. Qu'on ne s'étonne pas s'ils sont occupés un peu trop à effacer de leur héritage la trace des haines qu'ils assumèrent au nom du bien. Peut-être ne sont-ils pas guéris d'un remords trop proche, et leur besoin de cesser d'accuser pour comprendre n'a-t-il pas encore trouvé son équilibre de vérité. Mais une conviction forte, que chaque jour affermit, est un puissant réducteur du ressentiment, même du ressentiment qui se tourne contre soi : aussi les voit-on peu à peu se dégager des contrecoups de leur propre histoire.

Le regard jeté sur ce cas particulier éclaire du dessous le conflit d'exigences que recouvrait notre primitif « ni droite ni gauche », dont la lettre n'évoquait, et parfois n'entraînait que l'abstention et l'immobilité : l'une est une *exigence de pureté*, l'autre une *exigence de présence*. C'est déjà trop que de les séparer : de ce moment elles tournent mal.

La première, détachée de la seconde, pousse certains esprits à une crainte superstitieuse des contaminations. Ils font grand bruit devant elles, comme le nègre devant l'orage, le puritain devant la tentation, et les fuient dans une critique anarchisante, qui isole et qui s'isole, énerve l'engagement et multiplie l'esprit de secte. Leur force est d'avoir le plus souvent raison. Mais qu'est-ce qu'avoir raison? Une certaine manie destructrice, depuis quelque temps, semble n'avoir d'autre jouissance. Ils ont raison contre l'histoire, contre la réalité, contre leurs propres initiatives, dès qu'ils les voient prendre corps : le bel avantage! Ils n'aiment pas la vérité, ils aiment la négation de l'erreur, ce qui est tout différent. La première nourrit, la seconde épuise, et s'épuise. Les conformismes prolifèrent ces négateurs, en se décomposant comme les cadavres, selon les anciens, produisaient leurs mouches. On voit avec regret des hommes qui valaient mieux s'user à cette guérilla et y aigrir leurs meilleures qualités.

Le souci de présence, séparé de l'exigence d'intégrité,

groupe des tempéraments tout opposés. Ceux-ci sont moins soucieux de pureté doctrinale que de contact humain. Toujours impatients de rassemblements, ils boudent aux distinctions, aux réserves, aux méfiances, qui leur semblent signées d'un certain manque de générosité. Et on voit bien en effet contre quel confort doctrinaire, contre quelle avarice précieuse leur nature inquiète se cabre. Mais quand ils n'appartiennent pas à ces esprits fragiles dont Pascal disait avant Nietzsche qu' « ils se cachent dans la presse, appellent le nombre à leur secours », quand leur précipitation ne s'explique pas non plus par cette confusion que beaucoup d'intellectuels, intimidés par les masses, se sont laissés entraîner à accepter entre l'humilité de l'intellectuel et l'humiliation de l'intelligence, il reste qu'ils omettent une règle fondamentale de toute action, et spécialement constitutive d'une révolution spirituelle : *que la concentration de la force est plus urgente et plus efficace que le regroupement des forces*, quand le second risque de se faire au détriment de la première. On raconte que Bergery disait un jour à La Rocque, qui se vantait de ses effectifs : « Vous n'êtes pas encore autant que les abonnés du gaz. » L'action politique est aujourd'hui à un point mort où elle a grand besoin qu'un nouveau Leibniz vienne une fois de plus et sur un nouveau plan, à une théorie de la masse substituer une théorie de la force vive : ce n'est pas le nombre qui donne la capacité offensive, c'est la vérité historique, qui ne se détermine pas sur la moyenne des erreurs les moins éclatantes, et la foi, qui ne se nourrit pas à de vagues sympathies philanthropiques.

Entre l'isolement et la démission qui le tentent aux deux ailes, intérieurement tendu par une volonté de pureté et par une volonté de présence dont les exigences enchevêtrées l'obligent à une tactique complexe, le personnalisme rencontre le plan politique en porte-à-faux. C'est ce qui le rend si vulnérable aux accusations de duplicité venues de tous ceux qui puisent l'assurance de leur dogmatisme dans une mutilation de l'homme. Cette sorte de gaucherie (sans mot) qu'on lui voit dans les affaires politiques, et qui le fera toujours présent, jamais encadré, est un garant de sa fidélité à l'homme intégral, qui n'a ni dans le politique ni dans le social l'essentiel de sa destinée.

VALEURS ET RÉALITÉS DE GAUCHE

Revenons à la mystique de gauche. Nous ne saurions faire plus en ces quelques pages que d'esquisser un travail considérable d'analyse et de critique, qui devra porter sur l'histoire, la psychologie individuelle et collective, la sociologie et la métaphysique. Il y faudrait des compétences diverses et nous voudrions y éveiller ici des vocations parmi tous ceux qui n'y ont pas d'intérêt partisan. Tenons-nous à un petit nombre d'indications centrales.

Pour les lire en bonne lumière, il nous faudra garder en vue notre conclusion préliminaire, que si droite et gauche s'anéantissent dans la considération directe des problèmes de l'homme et de la collectivité, elles représentent néanmoins, en matière politique, des réalités résistantes, et comme deux familles spirituelles constantes à travers l'histoire. Plaçons-nous non pas au niveau des contenus idéologiques, encore moins des politiques, mais des tournures d'esprit qu'elles figurent, n'oubliant pas que les politiques et les intérêts mènent à eux seuls bien souvent tout le jeu, et distinguent à peine leurs visages à ce moment, sous le masque commun des passions. Nous voyons alors dans la droite et la gauche comme les cristallisations de deux tempéraments. Les tempéraments « de droite » sont plutôt sensibles à ce qu'on pourrait appeler le *spirituel de structure et d'ordre*, ils défendent la part de la continuité, de la fidélité, de l'organisation, de la hiérarchie et de l'autorité, des valeurs éprouvées, des situations acquises, des structures naturelles : famille, nation, paysannerie. Les tempéraments « de gauche » sont plus sensibles au *spirituel de progrès et de justice*, ils défendent la part de l'aventure humaine, scientifique et sociale, des ruptures nécessaires, des gouvernés et des opprimés, de la liberté, de l'individu, de la démocratie, des parties plus mobiles de l'organisme social : prolétariat et urbains, intellectuels, etc. [3]. Si la personne est esprit incarné, la gauche est plutôt du côté de l'esprit, la droite du côté de l'incarnation. Si bien qu'à l'encontre des polémiques conventionnelles, les gauches pèchent plutôt par idéalisme (irréalisme), les droites par matérialisme. La droite lutte contre la mort, au risque d'arrêter la vie, la gauche lutte pour la vie, jusqu'à l'exposer à des expériences mortelles. Il faut prendre ces vues en gros, rien ne serait plus aisé que les cribler d'objections, puisque nous y avons isolé une inspiration qui compose avec beaucoup d'autres : ainsi le conservatisme des modérés a pénétré si loin aujourd'hui les rangs de gauche que l'esprit d'aventure y semble restreint à une bien mince avant-garde. Mais la preuve que droite et gauche figurent bien plus des emplacements spirituels que des groupes de partis, c'est que la gauche refoule périodiquement au-delà de la ligne idéale les partis qui ont laissé s'infiltrer l'envahisseur. Cet éventail qui se déplie lentement sur l'hémicycle de la Chambre, d'élection en élection, et qui place aujourd'hui les radicaux en situation centrale et les républicains de gauche légèrement sur la droite, il semble d'abord déplié par une main moqueuse : c'est l'éventail même de la vérité.

Si masquées soient ces deux crêtes de valeurs par l'écran politique, si mutilé soit leur aspect par leur séparation même, il n'est pas d'humanisme qui ne poursuive entre elles quelque composition plus ou moins inclinée vers l'un ou vers l'autre horizon. Les riches, je veux dire simplement ceux dont la vie est pleine de choses organisées, qui ont plutôt à perdre à son mouvement, inclineront vers les valeurs de structure : les terriens, les héritiers, les bourgeois, les fonctionnaires ponctuels, les artisans, les grands commis, les théologiens, les silencieux. Les pauvres, je veux dire ceux

3. Au moment où nous publions ces remarques, nous lisons des considérations toutes semblables dans un article de P. H. Simon : « La droite en déroute », *Politique*, février 1938.

dont la vie est surtout pleine d'espérances, de rêves ou d'idées, qui ont plutôt à gagner à ce que la vie invente, inclineront vers les secondes : tous les petits qui aspirent à devenir moins petits, les ouvriers, les intellectuels (non rentés), les poètes (*ibid.*), les urbains, les boursiers, les fonctionnaires nostalgiques, les voyageurs, les apôtres, et, au sud de la Loire, tous les tourmentés de la parole.

C'est en ce sens qu'il y a des valeurs de gauche ou, mieux, une aile gauche des valeurs. Il est grotesque de parler d'une peinture de gauche et indécent d'un catholicisme de gauche. Mais, dans le jardin des Muses, il y a une aile gauche qui brise les formes et une aile droite qui les patine; dans l'Église, les fils de Paul, qui s'élancent sur les mers et répandent la Nouvelle, et les fils de Pierre, qui se font un peu tirer l'oreille, puis bâtissent et conservent la maison. Ainsi en politique. Les idées créatrices et généreuses naissent à gauche, mêlées aux idées fumeuses ou systématiques, et y engendrent la volonté révolutionnaire. Les idées sages poussent à droite, liées par les égoïsmes et les imaginations pauvres. Périodiquement la gauche part à la conquête d'une nouvelle tranche de « progrès »; la droite, un certain nombre de mois après, vient consolider, organiser et réparer (en maugréant) les dommages de guerre. Nous parlons de valeurs : ce que l'on donne comme contenu à ce progrès ou à cet ordre peut transformer l'action de droite ou de gauche en contre-valeur, voire en fléau public, mais sauf à examiner ce renversement possible, l'amour du progrès et l'amour de l'ordre sont deux constantes humaines qui nous empêchent de refuser à la mystique de gauche ou à la mystique de droite (au sens péguyste cette fois) une participation organique au spirituel.

Sous ces mystiques ou ces valeurs, les réalités saines. La gauche en défend traditionnellement un certain nombre. On peut les refuser pour en choisir d'autres, incompatibles. On ne peut nier que ceux qui les assument assument autre chose que des utopies. Ceux qui essaient de les confondre avec les idéologies ou les politiques de gauche cherchent des raisons nobles pour justifier des répulsions de tempérament ou de coutume. Nous travaillons à faire admettre que l'on puisse opter pour elles, par une vocation raisonnée, sans être à aucun degré solidaire des idéologies ou des politiques qui s'y mêlent.

Premier exemple : le peuple. Plus d'une fois nous avons essayé déjà de cerner cette réalité, historique et fraternelle plus que conceptuellement claire, reconnaissance d'une certaine généalogie de souffrances, de sang versé, de lutte vitale, d'espoirs communs, d'abandon.

Second exemple : *l'habitus* démocratique. Il n'est lié ni à la démocratie individualiste, ni au parlementarisme, ni à la loi du nombre, ni au progrès des lumières; il unit le sentiment de l'égalité spirituelle des hommes au souci de protéger leur vie personnelle contre les abus de tous les pouvoirs, et à la sollicitude des corps publics pour chacun d'eux, sans exception préjugée.

Je sais bien que l'on trouve à droite des casquettes et, au sens ainsi défini, quelques démocrates. Droite et gauche ne détiennent pas en ces matières un monopole, mais déterminent des centres de gravité. La droite n'est pas toute fasciste : en fait cependant, les ligues antifascistes n'émeuvent que les masses de gauche. La droite compte en France un minimum insignifiant de racistes, mais la Ligue contre l'antisémitisme coïncide à peu près exclusivement, dans son recrutement, avec la surface du Front populaire. Et les cris qu'inspire seule la misère héréditaire, on aura beau dire, on ne les entend jamais surgir du « peuple » qui fréquente les Ligues de droite. C'est pourquoi, statistiquement et non essentiellement, nous appelons ces réalités des réalités de gauche. Tout notre effort, ces constatations faites, s'emploie à y faire reconnaître de simples, de fondamentales réalités humaines.

On entrevoit maintenant quelles profondeurs organiques peut négliger un « ni droite ni gauche » prononcé avec la légèreté d'intellectuels sans causes ou de bourgeois sans difficultés. Si arbitraire qu'il soit en effet d'identifier à la gauche politique une certaine confiance épique dans le destin de l'homme, la réalité du peuple ou le sens de l'égalité spirituelle des personnes, c'est un fait statistique que ces valeurs trouvent aujourd'hui leurs martyrs à gauche, si mal y soient-elles pensées par ailleurs. Un « ni droite ni gauche » qui ne prendrait pas sur elles et sur ce fait une position explicite n'est qu'un jeu verbal ou une habileté politique. Accuser de « réflexes de gauche », c'est-à-dire, comme on l'entend, de gauchir leur jugement par leur passion, ceux qui s'affirment irréductiblement attachés à ce patrimoine, c'est expliquer à bon compte la tragique situation qui lui est faite.

LE PERSÉCUTEUR-PERSÉCUTÉ

L'unité de la gauche ne s'organise pas seulement autour d'un tempérament et de quelques réalités politiques. Elle s'est fixée sur un certain domaine idéologique. La géographie n'en est pas simple et reste mal connue de ses occupants; mais, perpétué par quelques grands intendants, il se conserve démocratiquement aujourd'hui « sous la surveillance du public », dans les lieux communs et les habitudes des militants.

A l'entrée, un mot, un souvenir : la Révolution française. L'historien des idées relève autant d'histoires de la Révolution que de partis qui peuvent en tirer une arme polémique. Pour tout homme de gauche, il y a *la* Révolution, sans adjectif, sans précision, Médiatrice hors de laquelle il n'est pas de salut. « Vous êtes rallié à la République, disait Léon Bourgeois, au lendemain du boulangisme, ce n'est rien. Acceptez-vous la Révolution? » Citant le mot, Siegfried ajoute, dans son *Tableau des partis en France :* « Admettre l'esprit de 89, voilà, entre la gauche et la droite, la démarcation essentielle. » Et Thibaudet de son côté : « Est radical qui professe à l'égard de la Révolution française un loyalisme analogue à celui des royalistes pour leur roi. » Radical? Ce sont les communistes qui aujourd'hui tournent des films à la gloire de Rouget de l'Isle et publient les encyclopédistes. La naissance du Front populaire s'est accompagnée de toute une renaissance du folklore révolutionnaire. Le rachat de la Marseillaise par la 3e Internationale, le serment du 14 juillet, la consécration officieuse de la place de la Bastille, le défilé des provinces françaises devant les fanions royaux, les drames historiques, les Congrès sur l'Héritage culturel, tout semblait théâtralement composé pour susciter le Front populaire des sensibilités, et réveiller l'âme révolutionnaire française plus largement que chez les seuls révolutionnaires, par la surprise de grands souvenirs.

Voilà donc un repère indiscuté. De quel esprit s'agit-il?

La Révolution et sa Charte, à côté de quelques réalisations capitales, plus liées aux nécessités de l'histoire qu'aux conceptions de l'époque, consacrent, dans toutes leurs parties inspirées, le triomphe de l'individualisme juridique. Mais il faut y regarder à deux fois. « Les hommes naissent libres et égaux en droits » : de toutes les formules de la *Déclaration*, il n'en est aucune sans doute qui reste aussi sensible aux cœurs républicains. Quoi qu'on puisse dire sur certains courants idéologiques qui la traversent, il suffit de l'affronter aux formules courantes des fascismes actuels pour y relever la permanence d'un sentiment chrétien. M. Georges Gurvitch nous demande de ne pas prendre trop à la lettre le poncif qui fait de l'égalité révolutionnaire un sentiment purement juridique et revendicatif. Quand ils parlaient de liberté et d'égalité, les hommes de 89 n'avaient pas que l'envie et la revendication au cœur, mais le même feu qui, en plein débat laïque, arrachait au jeune Clemenceau ce défi : « S'il pouvait y avoir un conflit entre la République et la liberté, c'est la République qui aurait tort, et c'est à la liberté que je donnerais raison. »

Que représente aujourd'hui cet individualisme, chez un citoyen quelconque, pris au hasard? Écoutons le citoyen-né, qui gruge quelque soupçon à toute heure du temps, jette sur le papier ses courtes ruminations solitaires, et signe

Alain, c'est-à-dire Dupont. « Tout commandement est guerre, par l'attitude, par l'entraînement, par le son de la voix. » « L'abus de pouvoir est un fruit *naturel* du pouvoir. » Vient-on dire que nous sommes en république, où le pouvoir vient du peuple et s'exerce pour le peuple? Ce n'est pas une question de régime. Le pouvoir est toujours monarchique, par son fonctionnement même. Et par sa nature, impérialiste : « Toute puissance est Impériale, j'entends par là qu'elle n'aime pas recevoir des conseils, et encore moins rendre des comptes. » « Tous les pouvoirs sans exception s'étendent par leur nature, et ne pensent jamais qu'à s'étendre. » « Il n'y a pas de gouvernants raisonnables... Tout ministre est Saint Louis pour commencer, et Louis XIV dès qu'il le peut. » Car le pouvoir attire ce qui est corrompu et corrompt ce qu'il attire. Paris, l'Élite, les Salons, l'Ironie, les Femmes de luxe, font autour d'eux un siège intéressé; à seulement les regarder, ils les reconstituent. Contre cette conjuration séduisante, le citoyen-provincial « se fait rustique par précaution »; comme le chrétien dans la tentation, il fait oraison sur les vérités premières de sa foi, et se persuade que la démocratie, ce n'est pas le pouvoir au peuple, qui ne l'a pas, ce n'est pas l'égalité des droits, ni le suffrage universel, ni l'omnipotence des majorités; que d'ailleurs tout régime comporte un peu de monarchie, un peu d'aristocratie, un peu de démocratie. La démocratie, c'est « le contrôle continu et efficace que les gouvernés exercent sur les gouvernants », « l'effort perpétuel des gouvernés contre les abus de pouvoir ». Mouton dans le troupeau, mais mouton avisé, quand le berger augmente les rations, il redoute l'abattoir. Sa défiance n'a pas de répit, même contre ses délégués : « la vigilance ne se délègue point[4]. » Il fonde des clubs de salut public, des conservatoires de la défiance, des inquisitions, des comités de vigilance contre le fascisme, puis quand ceux qu'il a fait élire pour détourner le danger se complaisent à leur charge ou flirtent avec d'autres pou-

4. Alain, *Éléments d'une doctrine radicale* et *Le Citoyen contre les pouvoirs.*

voirs à masque révolutionnaire, il tourne contre eux ses batteries.

La démocratie définie par le contrôle : doctrine de paysan méfiant. Non pas frénétique : s'il prêche la résistance qui assure la liberté, il veut aussi l'obéissance qui assure l'ordre ; il sait que les monarques souvent sont sincères, et ne font ce qu'ils font, après tout, que s'ils réussissent à traduire, à la lumière d'une sorte de suffrage universel implicite, tous les intérêts, tous les besoins, toutes les pensées de leur peuple. Mais enfin s'ils pensent sans contrôle, ils ne peuvent pas ne pas s'emporter : « C'est le contrôle qui fait la pensée juste et équilibrée, tout pouvoir sans contrôle rend fou. » C'est pourquoi le peuple élit non pas des compétences — qui prennent toutes seules les pouvoirs — mais des contrôleurs, pour surveiller les compétences devenues des Élites. Il sent bien qu'il les embête, mais il se dit qu'en empêchant chaque jour d'ajouter une pierre à la Bastille, on s'épargne de la démolir. Il se défie même de ceux qui autour de lui devraient se défier avec lui, du citoyen qui veut pour ainsi dire abuser contre soi-même de sa propre faiblesse et se donne volontiers un maître. Il hésite devant les partis marxistes, parce qu'ils ne le garantissent pas contre cette tentation. Radical, il n'appelle pas de ce nom un homme qui accepte le programme radical, mais un homme « qui accepte le droit et l'égalité », qui affirme « une résolution de refus », « une attention à n'être dupe ni des comptes, ni des programmes, ni de l'éloquence », étranger à « ces âmes faibles qui ne savent point obéir sans aimer ».

Si nous avons choisi pour le faire parler un citoyen particulièrement grincheux, qu'on ne se hâte pas de trop vite triompher sur lui en expliquant ses défiances par seule avarice et sécheresse de cœur. Certes nous voici loin du langage amoureux des entraîneurs de foules, avec ce calculateur qui leur rappelle qu'encens et sacrifice sont inséparables. Mais n'est-ce pas la faute de siècles d'histoire gouvernementale qui ont associé l'autorité et l'arbitraire, le commandement et la crainte? Nous avons essayé de dire ailleurs [5] combien juste était cette psychologie du pouvoir, ou plutôt de la puissance, si on voulait bien ne pas la confondre avec une théorie de l'autorité. Dans un opuscule récent [6], Henri de Man essaye de disculper le marxisme d'une méconnaissance systématique de la fonction de chef : il ne rejette, dit-il, que l'utilisation d'autrui comme objet, et le fond de son propos est de transformer les hommes d'objets sociaux en sujets sociaux. Le radical Alain ne veut sans doute pas autre chose, et avec lui la grande tradition fédéraliste qui s'étend de l'anarchie proudhonienne aux territoires du personnalisme.

Où commencent les problèmes, c'est quand il faut en venir à déterminer la nature et le destin de ces « sujets ». Ce n'est pas l'affaire de l'État? Bien sûr. Mais c'est peut-être l'affaire d'Alain et de tous les théologiens de la République, dont l'État reçoit la marque. Et l'État y est intéressé jusque dans son fonctionnement : lorsque le théoricien radical constate que tout pouvoir sans contrôle rend fou et fait, de son citoyen-modèle, une sorte de persécuté chronique, le bon sens bourguignon, par Albert Thibaudet, répond : « Oui, mais tout député radical de bonne foi vous dira qu'un an avant la fin de la législature, le contrôle de ses comités le rend idiot. » Et il demande si l'idéal du fonctionnaire contrôlé, c'est ce M. Lebrun, ministre des Affaires étrangères de la Convention, qui allait à son bureau entre deux gendarmes, et fut enfin guillotiné. Le persécuté persécuteur : est-ce le mode normal des relations d'une nation à son gouvernement et de ses citoyens entre eux? Si les fascismes mystifient la cité quand ils transforment la règle publique en Oraison de pur amour, est-il suffisant d'offrir à ses citoyens une religion raisonnable calquée sur le régime spirituel des services d'espionnage?

Moins que jamais nous ne voulons pousser, face à l'État moderne, au désarmement politique du citoyen. Moins que jamais nous ne croyons aux harmonies mensongères

5. *Anarchie et personnalisme.*
6. *Masses et chefs,* « L'Églantine », Bruxelles.

que les pouvoirs absolus affirment avoir réglées avec les libertés; nous savons comment on les fabrique, comment on les maintient, et que quand on parle d'État totalitaire il ne faut pas répondre d'abord bien-être, ou ordre, ou ferveur, mais : police secrète. Il restera toujours entre les pouvoirs, inévitablement tarés par l'ambition et le vertige de la puissance, d'une part, et toutes les activités qui sont touchées par la liberté spirituelle de l'homme, d'autre part, une tension irrésoluble, plus qu'une lutte de classes, une lutte d'ordres, au sens pascalien du mot [7]. Établissons donc un *modus vivendi* minutieusement réglé entre les impertinences de l'individu et les arrogances du pouvoir. Mais mesurons-en le domaine. Il est des moments où les personnes, comme les nations, épuisent leur réalité à forger des armes et des défenses. Il est des moments où les clubs et les comités et les « bases », indispensables gardiens de la liberté, l'étouffent à trop l'entourer. Si on ne rend pas à la vie collective une certaine unanimité de fond, limitée certes aux rapports objectifs, mais indiscutée et vivante, si l'individu ne voit jamais la collectivité qu'à travers son judas et derrière ses verrous, comme un univers dangereux de détrousseurs possibles, alors la démocratie n'a qu'à rendre son tablier, la féodalité la surclasse.

L'inspiration des *Droits* est complexe, et leur héritage tout autant. Si nous nous sommes attachés à cette ligne un peu schématique d'individualisme, c'est que nous y voyons sa ligne de faiblesse, celle qui provoque aujourd'hui l'effondrement d'une certaine forme de démocratie. L'individu des *Droits* restait une sorte d'absolu négatif : trop général, a-t-on dit; je pense trop sordidement ramassé au contraire sur une prétention inlassable à se retrancher dans ses droits, à ne voir sur sa liberté « empiéter » (le mot sauvage !) aucune liberté extérieure, aucune autorité supérieure. La critique en

7. L'autorité qui fonde le pouvoir est une réalité spirituelle, mais la réalité empirique des pouvoirs qui ont la lourdeur des appareils, sera toujours beaucoup plus bas que le niveau requis par l'exigence de vies personnelles.

est usée. On ne remarque pas assez peut-être l'image grossièrement newtonienne — c'est-à-dire grossièrement physique — que cette métaphysique nous donne des relations humaines : des centres d'énergie théoriquement inépuisables (les libertés), des attractions (fraternité), des répulsions surtout (la sainte indépendance), un équilibre mathématique des forces (égalité), la Raison scientifique réglant le tout; la maîtrise spirituelle de la personne plus ou moins assimilée à l'impénétrabilité physique (l'inviolabilité, notion bourgeoise du sacré), le prochain n'étant prévu que comme un empiétement possible ou, au positif, comme l'objet d'une revendication; les rapports d'influence assimilés à des forces, l'autorité à une pression. Rien dans tout cela qui évoque, si maladroitement que ce soit, un univers humain et personnel comparable aux symboles qui servent aux relations des objets ou des vivants entre eux. Si humaines soient les intentions historiques qui se sont tout de même fait un chemin dans cette phraséologie inhumaine, la Déclaration des droits de l'homme imitait trop étroitement une description des mécanismes des choses pour valoir plus que les hommes qui la mettraient en œuvre, pour les déshabituer des mécanismes. Ce qu'il faut reprocher aux hommes de 89, ce n'est pas d'être inadaptés à des phénomènes qu'ils ne pouvaient prévoir. C'est d'avoir manqué le problème de l'homme. Si la démocratie est aujourd'hui déconcertée aussi bien devant la déroute du sens de la liberté que devant le phénomène des masses, c'est qu'elle n'a donné au premier aucune structure intérieure et n'a fait de place au second que contrainte et butée, sans cadres spirituels pour le penser, sans préparations pour l'assimiler. L'échec de la démocratie individualiste n'est pas l'échec de la démocratie, c'est l'échec de l'individualisme.

LE PROGRÈS DES LUMIÈRES

Mais peut-être nous reprochera-t-on de n'avoir regardé jusqu'ici la philosophie des *Droits* que sous ses aspects les plus discutables. Cette petite ville de province, avare et méfiante, où s'épient les citoyens qu'elle institue, est tout de même traversée par une grande idée : celle de l'*affranchissement* de l'homme. Il semble qu'elle soit née dans les pays de tradition catholique, plus théologiens — la France en premier lieu — tandis que la démocratie sociale paraît congénitale aux pays protestants, plus philanthropiques : Suisse, démocraties anglo-saxonnes, démocraties nordiques. La République, pour un Français, c'est d'abord le progrès des lumières. Nous voulons libérer le prolétariat, écrivait M. Fournol [8], pour qu'il lise des livres, les Américains pour qu'il puisse acheter une automobile. C'est pourquoi, alors que M. Roosevelt doit se débattre avec un super conseil d'administration, la Cour suprême, les gouvernements français ont bien plutôt à compter avec ce que Thibaudet appelait la faculté de théologie de la laïcité : la Gauche Démocratique du Sénat, et avec ses ramifications dans les pouvoirs : république des professeurs, république des instituteurs. Ce n'est pas par un hasard, mais par un mouvement naturel du pays, que le tumulte antifasciste se soit aussitôt cristallisé il y a quatre ans en Comités de vigilance des *Intellectuels* antifascistes et qu'il ait à sa tête, avec Alain (nous bouclons la boucle) deux savants incontestés; que le premier gouvernement d'inspiration populaire enfin ait été dirigé par un critique théâtral.

Affranchir veut dire rendre franc. Remarquable disposition des mots : le même terme qui sert à désigner notre pays désigne aussi la liberté, et sous un vocable qui la confond avec la vérité. Affranchir l'homme, pour un Républicain, c'est affranchir la Raison. On dit la Raison comme on dit la République, sans autre détermination. C'est là qu'est le tour de passe-passe. Il ne s'agit ni de la raison de Platon, ni de celle d'Aristote, ni de celle de saint Thomas, ni de celle de Descartes (du vrai Descartes), ni de celle de Pascal, Leibniz ou Malebranche, il s'agit de la raison de Bayle et de Condorcet, plus largement de la raison scientifique. Que

8. Cité par Siegfried, *op. cit.*

lui demande-t-on? D'assurer l'indépendance et l'avenir de la science? Il semble que Descartes, Pascal et Leibniz y aient un peu plus travaillé que Bayle et Condorcet, ou même que M. Bayet. Or on attendra longtemps le *Pascal* de la collection *Socialisme et culture*. L'ambition est plus précise et plus vaste. Ce petit canton périphérique de l'intelligence, qui se spécialise dans l'adaptation sociale et la fabrication utilitaire, on veut l'identifier à l'intelligence totale et lui faire rendre compte de l'homme intégral. « Nous croyions, s'écriait Sembat à la tribune de la Chambre, en 1903, que c'était la doctrine du gouvernement républicain que les vérités scientifiques suffisent à elles seules à la vie intellectuelle et morale de la nation tout entière [9]. » « Être laïque, reprenait Lavisse un peu plus tard, c'est ne point consentir la soumission de la raison au dogme immuable, ni l'abdication de l'esprit humain devant l'imcompréhensible : c'est ne prendre son parti d'aucune ignorance. » On rapprochera cette dernière finesse de la définition du marxisme qu'avec le charme de l'innocence soupçonnée donnait, à bout d'argument, un de ces néo-marxistes que multiplièrent les dernières saisons : « Le marxisme? Mais ça veut dire que les faits sont les faits! » Ces professions véhémentes expriment le dogme immuable de toute union des gauches. Sans doute, le militant marxiste, en lisant le *Capital* (ou en le fermant), n'abdique-t-il pas un seul instant devant l'incompréhensible, et ne pose-t-il pas un seul acte de revendication dont il ne voit la claire vision avec la physique de M. Einstein. M. Herriot proclame de son côté : « Le radicalisme se présente comme l'application politique du rationalisme [10]. » On pourrait croire cette mystique périmée, penser que nous allons chercher des radicaux de théâtre sur les dernières pentes de la Montagne romantique. Écoutons donc des voix plus proches. Justement, un prophète vaticine, en ce mois de janvier 1938, sur *l'Avenir du radicalisme* [11]. Qu'y lit-il? L'avènement d' « une

9. Cité par Capéran, *L'Invasion laïque*, Desclée de Brouwer, p. 94.
10. Préface à Jammy Schmidt : *Les Grandes Thèses du radicalisme*.
11. Léon Archimbaud : *L'Avenir du radicalisme*, Fasquelle.

philosophie conforme aux données de la science et à nos tendances cartésiennes ». (On ne savait pas que M. Archimbaud confessait un Dieu créateur du ciel et de la terre, clef de voûte de l'univers et de la science : il est vrai qu'il ne s'agit que de tendances.) Dans un autre catéchisme, M. Jammy Schmidt nous fait l'éloge de Ledru-Rollin dans un langage de feu dont on va constater l'effet immédiat : « Il a surtout démontré que le radicalisme était plus qu'un parti. Il a établi que c'était une philosophie, une éthique, un mouvement incessant vers des progrès sociaux et individuels, scientifiques et matériels, que l'intelligence et la raison entraînent par delà les dogmes qu'elles dissolvent, et, suivant le mot de Bertrand de Jouvenel, « qu'elles conduisent au-dessus des banquises sociales à qui elles infligent un dégel permanent ». Le langage est-il moins brûlant aujourd'hui qu'aux époques héroïques?

Si le marxisme s'appuie à une science plus sobre et plus précise du dégel des civilisations que l'éloquence radicale, nous savons qu'il croit avec une force accrue à la fabrication scientifique de l'homme nouveau par la seule discipline et par les seules applications de la technique industrielle. Dans cette voie, il a décidé des destins du rationalisme; il l'a fait avec une autorité si décisive qu'il a dû libérer un potentiel tout disposé à s'émouvoir. C'est en effet M. Archimbaud lui-même, radical du dernier modèle, qui annonce aujourd'hui la fin prochaine des comités et des partis, la mort du principe sacré de la souveraineté nationale, et le moment déjà venu « où le gouvernement se confond avec l'organisation technique, *utilitaire* du pays [12] ».

Habemus confitentem reum. Par un regret spiritualiste, le rationalisme s'est maintenu quelque temps, à ses origines, dans la croyance toute dogmatique d'ailleurs (les Anglais le sentaient bien, et résistèrent tant qu'ils purent à cette ivresse « cartésienne ») à une nature raisonnable et bonne, législatrice absolue de vérité et d'ordre : métaphysique qui ne savait pas dire son être, se constituant en religion qui n'osait

12. *Op. cit.*

pas dire son nom. De cet idéalisme formel et facilement échauffable, la gauche a gardé son goût pour les idées, trop souvent pour les généralités creuses et pour les élans sentimentaux qui, avec le secours de l'indulgence méridionale, lui donnent l'équivalent d'une spiritualité. Elle en a gardé aussi cette indifférence provocante aux techniques, aux compétences et à la bonne marche des appareils, dont Pelletan restera l'image colorée et que ni le radicalisme d'affaires, ni la dialectique marxiste n'auront jamais réussi à résorber. Pour le grand fonctionnaire, pour l'industriel, l'homme de gauche ou le parlementaire (ils s'identifient un peu dans son esprit, et seul en effet le vrai militant de gauche se donne corps et âme au Parlement), c'est, avant toutes autres indications défavorables, le gâcheur, l'incompétence bruyante. Et s'il est souvent utile qu'il soit bruyant pour déranger un désordre que son incompétence ne saurait pas dépister, on ne voit pas ce que la République eût perdu à ce que le ministère Blum eût apporté, avec le socialisme, les résultats d'un demi-siècle de préparation aux tâches gouvernementales.

Cet idéalisme inefficace est le point faible où le marxisme a attaqué toute la tradition bourgeoise, radicale ou modérée. Mais il l'a fait dans le lignage des Encyclopédistes, pères de la bourgeoisie libérale. Au lieu d'une science formelle, qui systématisait les résultats les plus généraux des sciences particulières au profit d'un culte éloquent, il tourna le rationalisme vers une technique plus précise, celle qui avait produit ses effets dans le développement de l'industrie. Il pouvait reprendre à sa charge tout l'orgueil du vieux rationalisme, mais au lieu d'enfler ses vertus, il montrait ses preuves. L'homme de l'Encyclopédie, dit quelque part Thibaudet, est encore un héritier, l'héritier d'une nature et de la Nature. Il travaille dans un monde fait, où il trouve des lois. Ainsi encore le paysan qui est la sagesse du parti radical. L'homme marxiste est un manouvrier, il travaille dans un monde à faire, où il tourne des lois. A Prométhée, qui dérobe le feu du ciel, il oppose Hercule, qui forge les œuvres de la terre. A la Raison qui a raison, la raison qui donne raison. Ni plus matérialiste, ni moins que le rationaliste bourgeois, mais matérialiste conscient et organisé. La raison ouvrière emporte les dernières inconséquences de la raison héritière. Le spiritualisme chrétien justifiait par des existences les limites que toutes les natures du monde, celle de l'homme, celles de l'univers matériel, celles de l'univers spirituel, assignaient à la raison industrielle de l'homme. Le spiritualisme rationaliste ne maintenait quelques barrières qu'autour d'abstractions sans résistance. Le marxisme ne connaît plus qu'une intelligence infiniment industrieuse en face d'une matière infiniment malléable. La nature est à droite, dit un peu sommairement Ramuz. Il dit juste en ce que, strictement seul en face des siècles à venir, l'ouvrier marxiste pense que « peut-être rien n'est nécessaire », et qu'il n'est pas de bornes qu'il ne saurait franchir dans l'élaboration de l'homme nouveau par la soumission de la nature.

Ici encore, et peut-être au plus profond, nous rejoignons l'unité idéologique profonde de la gauche. Le radical ne diffère du communiste que par ses timidités. Il suit de loin avec son Condorcet sous le bras. Il se sentait des « tendances cartésiennes » comme Tartarin des tendances africaines, et voilà que ses amis prennent les choses au sérieux, veulent lui faire quitter ce baobab-domicile qui lui donnait à si peu de frais une telle estime de soi. « Point d'utopies, point de systèmes abstraits », dit Alain. Une raison qui maîtrise les passions, même la passion rationaliste. Une raison qui se raisonne elle-même. A peine a-t-il défini le radicalisme comme l'application politique du rationalisme, on voit Herriot se reprendre, biaiser. « Nous, radicaux, nous supprimons tout dogme. Nous sommes soucieux de méthode autant que d'idéal [13]. » Variation attendue du vieux thème radical : Toute la raison, mais pas plus loin. Autrement dit : l'opportunisme des intérêts ne cède pas ses droits. Et par intérêts nous n'évoquons pas d'éclatantes infamies; non : cette bonne prudence intellectuelle qui, sous les espèces d'un sage réalisme, pousse tout doucement les consciences

13. Préface à Jammy Schmidt.

peu difficiles, chrétiennes ou radicales, sur la voie des compromissions.

La pente fatale de cet esprit doctrinaire à la décadence du militant s'achève sous nos yeux. Cette race d'hommes héroïques, sans faiblesse dans le jugement, sans flottement dans l'action, qu'aurait dû nous tremper en un siècle et demi la rigueur d'une raison souveraine répandue jusqu'aux dernières ramifications du réseau scolaire, qu'a-t-elle donné à l'exercice? Il est superflu que nous nous attardions longtemps sur le style radical-socialiste; les esthéticiens de la politique ont déjà tout dit, les Français tout éprouvé : la gourmandise des fonctions d'État, les marécages électoraux, l'escamotage érigé en système de gouvernement, le déboutonné moral, la lâcheté devant l'électeur, l'importance bouffie, — bref, la méthode assise sur l'idéal. Mais il y a plus sérieux. Revenons aux récentes expériences. Pendant des années, les militants d'un parti révolutionnaire sont formés à s'isoler dans un ouvriérisme de combat, à injurier l'armée et la patrie, à bafouer les « mômeries » et toute forme d'esprit religieux. En quelques mois, presque en quelques semaines, on leur impose l'Union nationale, la Marseillaise et la Doulce France, la main tendue aux catholiques. Réactions au sein du parti : nulles, ou bien si incertaines d'elles-mêmes, ou si lâches que rien n'en paraît. « Soucieux de méthode autant que d'idéal » eux aussi sans doute. On aimerait avoir enfin une définition du dogme qui soit à jour des plus récentes conceptions scientifiques. Certes, il n'y a pas matière à plaisanterie. Je ne connais pas d'expérience plus encourageante pour le fascisme que cette faiblesse profonde de la masse ouvrière. Elle s'est une première fois manifestée lors du retournement communiste, une seconde fois lorsque tomba le Front populaire dans la presque indifférence générale. Et je ne veux pas non plus méconnaître toutes les forces vivantes qui travaillent cette masse. Mais elles travaillent dans un corps sans autre structure qu'un formulaire appris, désappris, rappris selon des décrets obscurs, qui déforce par sa pauvreté humaine tout le trésor de souffrances, d'histoire et de luttes quotidiennes qui devrait faire de ce peuple le grand réservoir de civilisation.

Il faut aller plus loin que l'idéologie pour avoir la dernière raison de cette indigence.

LES PROGRÈS DES CONDITIONS OU LA CONQUÊTE DU BONHEUR

Les origines de l'idéologie de gauche ne sont pas simples. Elles varient selon les pays, et des infiltrations d'une nation à l'autre sont venues compliquer l'évolution des esprits à l'intérieur de chacune d'elles. Le rationalisme est un produit bien français. Mais à cette fin du XVIIIe où doctrinaires et encyclopédistes semblent régner en maîtres dans la pensée politique (Rousseau fournissant les larmes à la Minerve aux yeux secs), une gauche se forme aussi en Angleterre [14]. Et elle se forme en opposition violente aux doctrinaires français et à leur juridisme spiritualiste. Les problèmes politiques, pour elle, ne sont pas relatifs à la vérité et à l'erreur, ils sont relatifs au bien et au mal être. Vos droits imprescriptibles, écrivait à Brissot Bentham, le maître tout-puissant de l'école, conventionnel à titre étranger, ne sont que le « nec plus ultra de la métaphysique ». Hume et les empiristes ont fait justice de cette déesse Raison, universelle et législative, qui n'est que verbalisme prétentieux. Je ne connais que mes sensations individuelles, et mes idées, qui sont le résidu de mes sensations, individuelles comme leur origine. Une seule commune mesure entre les hommes : l'adaptation de l'espèce, le bonheur. Vouloir ériger des idées en principes universels, en règles de société, c'est à la fois un sophisme anarchique et une menace de tyrannie : car chaque individu, jaugeant par son sens irréductiblement propre, voudra imposer sa fin, prendra les armes contre tout ce qui lui déplaît. Bref, la raison divise, multiplie les factions âpres et virulentes, seul l'intérêt peut unir. Ce mépris très anglais pour les doctri-

14. On lira avec fruit à son sujet le guide d'Élie Halévy : *La Formation du radicalisme philosophique*, 3 vol.

naires du continent recevait la monnaie de sa pièce. Condorcet reprochait aux révolutions d'Amérique d'avoir fondé le suffrage universel sur l'identité des intérêts plus que sur l'égalité des droits : *no taxation without representation*. Cependant bientôt les rédacteurs de la constitution américaine allaient cesser de parler en anglo-saxon, pour rattacher leur œuvre à la raison universelle et à la nature des choses. En échange, les fils de 89 recevaient dans le sang qu'ils allaient transmettre aux générations une forte charge de convictions utilitaires.

Le débat nous apparaît, avec la distance, moins aigu qu'il ne fut pour les contemporains. Les encyclopédistes partaient du même individualisme absolu que les utilitaires anglais. Le tempérament national accentuait dans l'individu, ici la pente raisonneuse, là la pente industrieuse, mais c'était bien du même homme que l'on parlait. Pratiquement, le ciel métaphysique lui est fermé par sa propre mécanique à penser. L'image de Dieu de la philosophie classique, le monstre d'inquiétude fait place à l'homme de verre. Il ne reste en lui qu'une force, le désir, et un ordre, la raison. L'Anglais croit la raison plus anarchique et le désir plus unifiant, le Français à l'inverse : ils s'entendent bien sur le même désir vital, et sur la même raison autonome, fabricatrice de machines à réussir. Toute la science moderne, qu'on ne l'oublie pas, était créée avant ces petits maîtres, qui ne l'ont guère que rabâchée et vulgarisée. Mais elle était articulée à une métaphysique, à une morale, à une théologie. La raison scientifique elle-même s'estimait fortifiée par la circulation organique qui la reliait à l'ensemble de l'esprit humain. Privée de cet appui et de l'image de Dieu, la raison ne garde comme modèle de ses démarches que l'image des choses. Elle se fait tour à tour, sous leur suggestion, législatrice, fabricatrice, industrielle. Elle va façonner le monde à l'image de l'homme, mais après s'être modelée à l'image du monde. Le rationalisme n'avait aucune défense sur la pente de l'utilitarisme : sa raison inoccupée n'avait plus qu'à se mettre au travail, et à tuer le temps.

Comme stimulant, il restait le désir, qui survit avec la vie à l'aspiration vers Dieu, au goût de la liberté, au sens du prochain, à la vie personnelle, à tout ce qui me spécifie. La personne, qui est communion, est à peine présente dans le désir, qui ramasse par contre dans une passion exclusive toute l'âpreté de l'exigence individuelle. Le désir est un *désir d'avoir*. La somme indéterminée des avoirs qu'il convoite s'appelle le bonheur.

On nous croit loin du problème de la gauche? Tout près, au contraire. M. Daniel Halévy est allé chercher dans un petit livre de M. Gaston Maurice cette définition de l' « état d'esprit radical [15] ».

« I. *L'homme peut être heureux sur terre*, car il n'y a pas de péché originel. La nature, si l'on sait reconnaître ses instincts véritables, est bonne. Il faut, en le contrôlant, suivre l'instinct... Nous n'avons pas de tare. Il faut avoir confiance.

II. *Mais il n'est pas encore heureux.* — En pensant ainsi, le radical se distingue des économistes libéraux qui pensaient jadis que tout allait pour le mieux.

III. *Enfin le bonheur est possible rapidement.* » [Ceci contre l'utopie révolutionnaire.]

Qu'est-ce que ce bonheur? N'interrogez plus les livres mais les hommes. Voyez cette sorte d'immense fixation infantile qui semble succéder à l'âge métaphysique : le tumulte indéfini du désir, l'impuissance à choisir et à ordonner les impulsions qui forment le fond le plus primitif de l'âge puéril, jointes à l'instinct le plus primitif de l'adulte : le désir de sécurité qu'on appelle aussi, quand il s'étend, philanthropie ou humanitarisme. Déplacez-vous du petit-bourgeois radical, assise du conservatisme français le plus sordide, aux masses « révolutionnaires ». Quel rêve leur a-t-on appris? Un rêve de retraités. Le Front populaire a profité d'un sursaut de liberté, mais regardons ses utopies plutôt que ses chances. Abondance, paix, loisirs, augmentations, tout cela est fort légitime, mais est-ce tout ce que l'on

15. Daniel Halévy, *République des comités*, p. 82.

trouve à dire à une civilisation qui se meurt? Une paix de tranquilles et de démissionnaires, un dimanche perpétuel, une activité hygiénique et sans risque, une sorte de mort luxuriante, voilà les images qu'ils émeuvent — et qui émeuvent. Où est l'appel révolutionnaire des grandes époques à l'œuvre héroïque, à une mission universelle, à l'ascétisme du militant? Nous n'avons pas été les derniers à dénoncer le pharisaïsme du bourgeois renté qui feint de se scandaliser du « matérialisme sordide » des revendications populaires. Et nous avons assez dit que le pain est une condition de la liberté, que la révolution matérielle est inséparable de la révolution spirituelle. Nous n'aurons jamais trop de compréhension pour l'homme qui, de sa misère, ne sait imaginer la béatitude de l'homme que sous la forme de ce bien-être bourgeois dont il peut imaginer qu'il engendre des conditions automatiques de bonheur. Mais enfin les chefs, les doctrinaires socialistes ou radicaux ne sont pas dans la misère, qu'on sache! Tant d'exemples historiques leur ont montré que le peuple, pourvu qu'on l'y sollicite, est capable de cent fois plus d'énergie, de dévouement, de sacrifice que tous les possédants, fût-ce les possédants de situations politiques. Pourquoi l'entretiennent-ils dans cette rêverie petite-bourgeoise? Pourquoi le feraient-ils, s'ils n'étaient eux-mêmes petitement embourgeoisés dans leur propre vision du monde?

« Le bonheur est une idée neuve en Europe », disait Saint-Just. Oui, sous la forme que nous venons de décrire, née du monde bourgeois : sur elle, en profondeur, quels que soient les conflits de surface, se fait de la droite à la gauche l'unité profonde de tous ceux qui se connaissent de sa parenté. Une certaine idée du bonheur n'est pas exclue d'une morale personnaliste. On en chercherait le sens du côté de quelques états vécus plus ou moins brièvement au cours du travail de la personne : une certaine situation d'accomplissement et de plénitude, en même temps de détente et de gratuité, une sorte de légèreté intérieure qui se communique aux choses et aux êtres proches. L'image même de légèreté dit le contraire de cette accumulation confuse de richesse, de cette assurance confortable que figure le bonheur bourgeois. Or ce que n'osent pas dire nos radicaux actuels, nos radicaux de 1780 l'écrivaient en clair. La morale, Bentham la comprenait avec toute son école comme un bilan, un « budget de recettes et de dépenses dont chaque résultat doit nous donner pour résultat un surplus de bien-être ». On apprend aux élèves des lycées que ce bien-être se calcule, on oublie généralement de leur préciser l'essentiel : ce calcul n'est possible que par l'assimilation de la conduite humaine aux règles qui régissent la raison scientifique, et, dans les relations sociales, il fonde un régime très déterminé de relations humaines : le règne de l'argent. « L'argent, écrit Bentham, est l'instrument qui sert de mesure à la quantité de peine et de plaisir. Si nous ne pouvons dire d'une peine ou d'un plaisir qu'il vaut tant d'argent, il devient inutile d'en rien dire. Au point de vue de la quantité, il n'y a ni proportion, ni disproportion entre les peines et les crimes. » Il ajoute que l'égoïsme est « de toutes les passions la plus accessible au calcul » parce qu'elle est proportionnelle au nombre de ses objets.

Voilà les vrais fondateurs de la civilisation moderne, dont les mouvements politiques ne sont que la superstructure. Pour des générations maintenant l'« épanouissement de l'homme », le « progrès social », la « marche de la civilisation » consisteront dans ce stockage prévoyant de médiocre bonheur, que pas une heure d'héroïsme, pas un geste d'amour pour eux ne compenserait. « Nous leur donnerons un bonheur silencieux, humble, le bonheur qui convient aux créatures faibles qu'ils sont. Oh! nous les persuaderons, à la fin, de ne plus s'enorgueillir... Certes, nous les ferons travailler, mais durant leurs heures de loisir, nous organiserons leur vie à la manière d'un jeu d'enfant, avec des chansons enfantines, des chœurs, des danses innocentes. Oh! nous leur permettrons même le péché, sachant qu'ils sont faibles et désarmés... Ils seront délivrés du grand souci et des terribles angoisses actuelles qui consistent à choisir soi-même. Et tous seront heureux, des millions et des millions de créatures.»

Ainsi parle le grand Inquisiteur, oserions-nous dire que nous n'entendons plus cette voix?

Nous aurons à préciser par la suite la présence de ces constantes morales dans la plupart des idéologies de gauche. Contentons-nous aujourd'hui de quelques fils directeurs.

La gauche est, ou socialiste, ou sociologue. Un radical, Léon Bourgeois, a inventé une sorte d'être de raison pâlot, le « solidarisme », pour assurer le trait d'union interne du radical-socialisme et sa communication sur la gauche. Quand, il y a deux mois, les radicaux pensèrent à s'instruire un peu, l'École supérieure du radicalisme s'ouvrit, début symbolique, par une conférence de M. Bouglé sur cette doctrine de plat compromis. Le problème de l' « identification des intérêts » entre eux, qui se pose à tout utilitarisme, crée les deux styles de la gauche.

Il y a la gauche optimiste. Tantôt sentimentale, elle ne pense qu'effusions et paix universelle, par-dessus les doctrines, par-dessus les divisions, par-dessus le réel, s'il le faut. Tantôt, plus avisée, elle considère les intérêts et estime qu'ils s'équilibrent d'eux-mêmes, par la division du travail et de la nature des choses. C'est la gauche utopiste qui a donné naissance aux courants anarchistes sur le plan politique et, très voisines sur le plan économique, à toutes les doctrines de l'abondance. Démoralisons les contraintes, les barrières, et les désirs s'équilibreront d'eux-mêmes. Supprimons les taxes, les contingentements, l'argent, et cependant que les marchandises galoperont, tels les globules d'un sang généreux, partout où elles feront besoin, la machine libérée des polices humaines produira en quantité telle que la prise au tas sera devenue une réalité. Dès lors plus de guerres, plus de crises, plus de haines, plus de souffrances, le bonheur se fabrique à la tonne. Il y a des esprits chaleureux dont la doctrine économique se fixe approximativement à niveau de cette riche psychologie humaine, et aucun marxiste ne leur est totalement étranger.

D'un autre côté nous découvrons la gauche qui pleure, ou plus exactement celle qui ne rit pas tous les jours. Tout ne va pas si commodément à ses yeux. Elle a écouté Malthus, elle a regardé les crises, elle voit un peu les hommes, dure matière et toujours rebelle. C'est donc à l'homme éclairé et avisé de faire que, par la législation et l'éducation (le mythe du XVIIIe et le mythe du XIXe), s'ajustent entre eux les intérêts divergents. Son régime sera un peu moins coloré d'humanité encore que les fantaisies utopistes : car si le législateur juge de l'extérieur, comment pourrait-il retenir la qualité subjective des appréciations? Vive donc la mesure. Avec Bentham, il critiquera le « sentimentalisme » de ceux qui croient à l'harmonie spontanée des cœurs. Ce qu'il veut saisir, lui, ce sont les conséquences, et non la volupté; l'échange de service, le bilan social, et non la sympathie. Sa politique n'est pas une politique d'idylle, c'est une politique (et une morale) de l'application et du travail. Seule une foule de petites actions conscientes et appliquées peut construire l'harmonie générale. Cette gauche est sociale non par amour, mais par prévoyance, car elle sait que le bonheur est une condition bien plus qu'un but d'une société ordonnée et industrieuse. Nous sommes du côté de Bentham, qui se disait « une sorte de philosophe bâtard, un intermédiaire entre l'épicurien et le cynique », du côté de Franklin et de l'éthique républicaine du travail récompensé, de l'émancipation automatique par l'épargne, de cet Incorruptible Comptable avec lequel M. Payot terrorise nos générations d'écoliers et qui du centre de notre conscience distribue les blâmes avec « les placements en bravoure, augmentés des intérêts composés, car le cerveau (?), comme la terre, rend au centuple chaque grain semé [16] ». Nous sommes en plein univers radical.

LIBERTÉ, LIBERTÉ CHÉRIE

On remarquera que les principes soit du rationalisme, soit de l'utilitarisme, bien que les démocraties modernes les aient pris pour fondement, sont ambivalents à l'égard de la

16. *Le Travail intellectuel et la Volonté.*

dictature et de la liberté. Ils inclinent même plus nettement, par nature, à la dictature qui est en germe dans toute axiomatique impersonnelle.

Le jacobinisme, dès 93, en a fait les preuves pour le rationalisme des petits sages. Les Anglais n'avaient pas si tort quand ils flairaient le danger. Un siècle plus tard, en 1905, Clemenceau, devant un certain développement du laïcisme primitif, devait encore dénoncer la tentation du « monopole libertaire » de l'école et du dogmatisme libre penseur. L'orthodoxie marxiste a donné des preuves plus sanglantes de la sauvagerie de la Raison que les excès de l'Inquisition n'en ont apporté de l'entraînement du fanatisme. L'impérialisme prolétarien menace de succéder, durement, dialectique en main, aux impérialismes capitalistes. Plus encore que la dictature d'un intérêt, que tempèrent souvent la prudence et un certain relativisme, est redoutable une « primauté du spirituel » qui ne couvrirait qu'un régime autoritaire de l'abstraction. La Raison impersonnelle ne peut pas respecter les personnes. La rigueur qu'elle met dans ses arrêts, c'est, poursuivie dans l'action, la raideur inhumaine qu'elle adopte dans ses démarches.

Certains croient échapper à ce danger parce qu'ils substituent aux généralités creuses et aux directions uniformes d'une raison éloquente la précision d'une raison étroitement serrée sur la variété de ses objets. Ainsi, quand nous parlons de la protection de la personne, certains marxistes pensent être d'accord parce qu'ils préparent aux hommes un entourage de fiches médicales, psychologiques et professionnelles, minutieusement tenues : comme si, selon le but qui l'inspire, le perfectionnement des mécanismes individuels ne pouvait être dirigé à asservir aussi bien qu'à libérer. Ne disons donc pas, en aucun sens, que la République, c'est la Raison. La République se sert de la raison comme elle se sert de la nature. Elle peut avoir à prendre les armes, au nom de l'homme, contre les savants, et contre les professeurs, tout aussi bien que contre les pions, quand la raison se retire de l'homme et se retourne contre lui.

Ne disons pas non plus que la République, c'est le bien-être. Bentham a essayé de transcrire la démocratie du langage « Droits de l'homme » en langage utilitaire, l'égalité des droits imprescriptibles devenant un égal désir et la conscience d'une égale capacité de bonheur chez tous les hommes. Comme tout Anglais depuis Hobbes, il se méfiait de Léviathan, de la métaphore dangereuse de « a body politic », et parlait non pas du « plus grand bonheur *de la cité* », mais du « plus grand bonheur *du plus grand nombre* », formule statistique qui maintenait l'exigence individualiste. Mais du moment où l'on admet que le législateur est nécessaire pour assurer l'harmonie des désirs, et que *son rôle en toute hypothèse n'est que d'assurer le plus grand bonheur du plus grand nombre*, toutes portes sont grandes ouvertes à toutes les dictatures, car le législateur qui n'aura pas devant ses décisions la résistance inviolable des libertés fondamentales de la personne pourra toujours s'estimer meilleur juge que chacun des conséquences sociales et individuelles utiles de ses décrets. Burke, une génération avant de Maistre, fondait sur l'utilitarisme une doctrine de royauté autoritaire étrangement semblable à celle de l'école traditionaliste. Il voyait dans le « préjugé », c'est-à-dire dans le conservatisme, une sorte d' « épargne collective », là où l'épargne individuelle — le jugement individuel — ne suffit pas à soutenir la société. Une telle doctrine porte juste contre l'individualisme, si elle s'inspire d'une science profonde de la personne, qui est indéfinissable hors d'une tradition et d'une communauté; mais hors de cette science, qui implique aussi le sens précis des limites du collectif, elle vient à l'appui de toutes les pesanteurs sociales et légales.

La sensibilité de gauche, si ouverte à la conscience de ce danger quand il vient du bon tyran, y semble étrangement aveugle du jour où ce bon tyran se réclame non de son bon plaisir, mais du bien-être de la multitude. C'est ici que l'idéologie de gauche avoue son défaut. Tout occupée de politique, elle croit que seul le législateur du bien-être risque de menacer l'homme. Et si une politique du bien-être déterminait fatalement le législateur qui s'y limite? La démocratisation du bien-être a et aura de plus en plus cet avantage de démasquer le conflit profond qui est au cœur même du bien-être : à savoir que le bien-être, ou le bonheur, au sens de l'accumulation et de la sécurité bourgeoises, sont les antagonistes directs de la liberté spirituelle, dans les sociétés, comme dans l'individu.

Ce profond antagonisme de la liberté et du bonheur, qui inspirait à Newman son *When I am at ease, then I begin to be unsafe* [17], c'est sans doute la leçon qu'il est le plus difficile de faire entendre aux gauches. *Le pain, la paix* — coupure — *la liberté.* Il y a une manière de donner le pain et la paix, le confort et l'ordre, dans laquelle les pays totalitaires, par la concentration des forces économiques et policières, sont plus habiles que tous les autres. Il y a une menace fatale où tombe un jour ou l'autre, sous un nom ou sous un autre, toute utopie politique qui dans sa manière d'être impose ce souci du pain et de la paix avant celui de la liberté. Les partis de gauche, qui sont avec plus de générosité que de spiritualité profonde les champions habituels de la justice, doivent prendre conscience de cette alternative. C'est le fondateur du radicalisme anglais le même Bentham, adversaire combatif de tous les conservatismes de l'époque, qui écrivait des hommes satisfaits de la cité future : « Appelez-les soldats, appelez-les machines : s'ils sont heureux, peu importe. *Mieux vaut lire de guerres et de tempêtes, mieux vaut jouir de la paix et du calme plat.* » Il semble que ce soit là aujourd'hui, par delà les batailles courageuses qu'ils mènent contre l'injustice actuelle, la métaphysique consciente ou implicite de la plupart des responsables de la gauche. Si oui, il faut arracher l'épée, de la main des fous.

Dostoïevski lisait la signification centrale du christianisme dans la ligne spirituelle qui va de la tentation au désert, lorsque le Christ refuse la possession et la royauté des richesses du monde, jusqu'à ce moment de la Crucifixion où

17. Quand je suis à l'aise, alors je commence à être inquiet.

le soldat romain l'excitant à descendre de la Croix s'il est un Dieu, il se refuse, parce qu'il est un Dieu, à conquérir la foi de l'homme libre par l'intimidation du miracle. Il y a là sans doute un sens qui ne peut échapper à aucune forme de personnalisme où vit le sens de la liberté essentielle de l'esprit. Mais pour y accéder, il faut proprement décentrer tout notre univers. Pour beaucoup, la liberté est un correctif à la totalité des déterminismes, la personne un coefficient des plans et des calculs, l'homme une inconnue auxiliaire de quelques équations cosmiques. Ils accueillent avec faveur les idées personnalistes, parce qu'ils y voient la retouche nécessaire à des descriptions un peu sommaires, la soupape de sûreté indispensable à des systèmes collectifs un peu dangereux. C'est sous cette forme, j'imagine, que certains marxistes de bonne volonté et de sens critique, symétriquement à certains technocrates, se représentent notre rôle. Et certains qui se disent personnalistes eux-mêmes... Accepter cette position du problème, c'est en trahir la donnée fondamentale. La personne sera soupçonnée, entrevue, mais toujours sous l'aspect de ses déterminations individuelles, dont on sait l'ambiguïté, puisqu'elles peuvent être l'instrument d'une tyrannie plus serrée ou d'un égoïsme plus savant. Décentrer notre univers, tout durci par les langages impersonnels de la science, du droit, de l'utilité, voire de l'individualisme, c'est cesser de penser les relations entre les hommes, de quelque manière que ce soit, à l'image des relations entre les choses. En fixant la morale en termes de comptabilité et d'échange, les utilitaristes anglais repèrent avec une évidence presque grossière la direction à fuir. Il faut d'abord vivre la personne, pour qu'elle soit libre, en dehors des catégories de la richesse, c'est-à-dire de l'accumulation matérielle. La sommation annonce la mort : « 2 et 2 font 4, disait encore Dostoïevski, ce n'est déjà plus la vie, mais le commencement de la mort... 2 et 2 font 4 sans l'intervention de ma volonté. » L'amour n'est pas échange, mais réciprocité gratuite, la société n'est pas contrat, mais engagement vivant, la communauté n'est pas équilibre et harmonie, mais concurrence dramatique et généreuse. Ainsi insérerons-nous la personne sur la gratuité qui lui est foncière, et du même coup sur l'absurdité qui la distingue au regard de la raison scientifique et du dogmatisme logique. C'est alors seulement que nous commencerons à agir avec autorité sur la mythique de gauche, et aurons quelque chance d'arracher notre propre héritage bourgeois ou notre ferveur de justice populaire à la menace la plus sévère qui pèse sur l'ordre en gestation : *aurea mediocritas*, la menace d'une médiocrité dorée et servile.

Ce n'est pas un hasard si dans ces dernières pages nous avons si souvent évoqué Dostoïevski. Dostoïevski, Nietzsche: deux références pour nous capitales. La conversation du personnalisme avec un homme de gauche ou d'extrême-gauche qui a traversé leur univers, comme Malraux ou même de Man, s'établit sur une certaine complicité foncière. L'un est le prophète du drame, l'autre de la liberté, tous deux ont le bonheur bourgeois pour ennemi commun. Et si le Germain a introduit dans sa vision le paroxysme d'une intelligence désespérée, le Russe un mépris apocalyptique pour le monde solide qui est entre l'homme et l'infini, l'humanisme français n'est pas condamné par ses caractères traditionnels, refusant l'excès, à refuser la grandeur. Ce pays « statique » qui a fait trois révolutions en un siècle, en mûrit une quatrième, et entre-temps s'est promené à travers l'Europe, n'est pas né pour les bonheurs tranquilles où sa richesse le pousse : telle est sa contradiction tragique, et sa tentation secrète où tombent aujourd'hui ceux mêmes qui veulent le pousser en avant.

Le sortir de cette tentation, au lieu de la faire servir aujourd'hui à aider, demain peut-être à paralyser et après-demain sûrement à étouffer la révolution qu'il prépare, tel est notre but capital. Sur le plan des pensées, de notre sensibilité fondamentale, des attitudes spontanées, il nous situe radicalement en dehors des idéologies et des réflexes dominants de gauche, comme des idéologies et des réflexes dominants de droite : car il nous situe en dehors d'une civilisation dont ces idéologies et ces conduites rejettent certaines conséquences, mais acceptent les données. Quiconque d'entre nous se sent à l'aise ici ou là, c'est qu'il n'aura saisi de la vérité que nous cherchons que l'émotion de quelques mots.

Mais en même temps cette exigence nous donne une parenté avec les hommes libres, notamment dans ce vrai peuple, minoritaire peut-être, celui qui n'a pas accepté même le rêve bourgeois, et qui donnera son âme à la civilisation qu'il maintient par cette liberté du cœur, fût-il maladroit à l'exprimer. C'est lui qui sauvera les forces de gauche : le plus humble service que nous puissions lui rendre n'est pas de renoncer à la lucidité, mais unissant notre clairvoyance à sa générosité, de le débarrasser et de nous débarrasser avec lui des idéologies mortelles.

CHAPITRE II Débat à haute voix

La tentation du communisme est devenue notre démon familier[1]. M. Mauriac lui-même ne peut détourner les yeux de ce feu qui rehausse ses humeurs, ni cacher la passion malheureuse qui attendrit jusqu'à ses cris de guerre. Cependant, si tout ce qu'il y a de valable en France est au moins frôlé par cette tentation, tout ce qu'il y a de valable, sauf les communistes, est tiré en sens inverse par de violentes réactions, de celles où tout l'homme sursaute et se refuse. Ainsi, les sentiments que nous arrache cet impérieux partenaire se frottent à vif. Nous chercherons vainement à les nommer d'un mot simple, d'une image évidente comme en éveillent une affection ou une haine tranchées. Attention irritée, impatience fraternelle, sympathie scandalisée, il faut jouer de dissonances, sans pouvoir rendre la gravité de ce dialogue de consentement et de répulsion qui cherche désespérément le point.

Depuis un an, il est d'usage de taire ce débat. L'atmosphère en devient irrespirable. Notre propos est de le sortir au jour, afin que chacun y puisse avancer dans la lucidité.

Le dialogue que nous ouvrons, nous l'adressons au communisme militant, non pas à la troupe folle du conformisme communisant. Si j'étais communiste, je ne mépriserais rien tant que ces fantômes à la recherche d'une chaîne et d'un poids, ces désossés de la littérature, ces néants qui ont besoin des soins de cour pour ne pas s'évaporer sur place, et qui se pâment à la force quel que soit son nom. En nous voyant

1. En introduction à une enquête auprès des jeunes intellectuels menée en 1946. Repris dans *les Certitudes difficiles,* puis dans le tome IV des *Œuvres,* p. 114-141.

attentifs à rendre au communisme une justice scrupuleuse, certains nous ont crus pris du même vertige. Il n'est donc pas inutile que nous fassions le point d'une attitude où assez de jeunes Français se débattent pour que nous essayions avec eux de débrouiller nos sentiments et nos devoirs.

On s'irrite, parfois, de ce que les communistes mènent si étroitement le jeu non seulement sur l'échiquier des positions politiques, mais encore sur le clavier de nos sentiments. Ceux mêmes qui s'en offusquent n'arrivent pas à se dépêtrer du sortilège. Ils dénoncent l'habileté, la manœuvre, comme toujours les hommes quand ils se sentent impuissants. On pense à ces athées qui accusent les églises d'ensorceler les esprits, et ne s'interrogent pas sur le paradoxe d'un mensonge qui durerait depuis vingt siècles et qui tourmente encore à ce point leur libre jugement. Si le communisme exerce, pour ou contre lui, une fascination qui a eu le temps d'user les modes, il faut que quelque chose vive en lui qui nous atteigne au cœur. Aussi bien devons-nous constater qu'il existe aujourd'hui une démarcation politique plus profonde que celle des partis. Elle passe entre ceux qui ne peuvent s'adresser aux communistes globalement pris que dans une disposition fraternelle, même quand ils les combattent, et ceux dont l'anticommunisme, qu'il soit socialiste ou réactionnaire, est le réflexe politique directeur. Nous sommes du côté des premiers. Il faut voir un peu clairement pourquoi et jusqu'où.

La première raison, nous l'avons répétée à satiété. On ne décide pas dans l'abstrait du sens que prend une position politique, fût-elle exprimée sur le mode abstrait. L'anticommunisme peut avoir cent bons motifs. Il n'empêche que dans la réalité des choses, en France, en 1946, l'anticommunisme sert à consolider tout ce qui meurt et empoisonne le pays de sa trop longue agonie; qu'il est surtout la force de cristallisation nécessaire et suffisante d'une reprise du fascisme. Ce sont les communistes, dit-on, qui ont imposé cette terreur. Vous vous rappelez cet article plutôt dépourvu d'humour, où M. Albert Bayet tentait de nous persuader que l'on ne pouvait être *extra* sans être *anti*, ce qui était proprement se manger les pattes, car nous ne sachions pas qu'il soit *intra*. Il faut faire, en effet, à l'intimidation sa part. Le communisme a le dogmatisme des églises naissantes. Comme elles, il redoute l'hérétique plus que le païen. Et par cette menace toujours suspendue d'excommunication, en protégeant la foi, comme souvent les appareils d'église, il paralyse les initiatives et les pensées. Nous n'inclurons donc pas dans l'anticommunisme de combat la liberté de critique et de recherche qui est encore à la disposition de chacun. Mais cette liberté qui nous est chère est contenue en conscience par deux situations de fait capitales.

La plus évidente, c'est qu'en France, en 1946, le parti communiste a pour lui la confiance et la force de l'immense majorité et surtout de la partie la plus dynamique de la classe ouvrière. On peut le regretter, on peut espérer ou préparer un renversement de situation, c'est une autre question. Mais tant que le fait subsiste, il commande. Parler de révolution, à notre âge industriel, et penser que l'on fera cette révolution sans que la classe ouvrière en soit la pointe perforante, c'est une puérilité qui n'a de crédit que dans l'ambition politique ou dans l'ingénuité de quelques esprits brouillons. « Bricoleurs, faiseurs de systèmes, craintifs comme des notaires, utopistes comme des autodidactes, ambitieux comme des Rastignac [2] », ils mâchonnent depuis un an, de congrès en congrès et de thèses en programmes, leur impuissante révolution. Il faut distinguer, certes, dans leurs rangs. A côté des ambitieux, beaucoup sont des hommes de bonne volonté, jouets d'une radicale incertitude politique. Est-elle une marque de classe? C'est possible, bien qu'à l'avènement des fascismes les classes ouvrières n'aient pas montré moins de versatilité. Il reste en tout cas partiellement vrai que les classes moyennes tiennent de leur richesse complexe, autant que de leur situation incommode sur une

2. P. Hervé, *La Révolution trahie*, Grasset.

zone sociale de fracture, une certaine hésitation, et partant une certaine impuissance politique. On les en accable à l'excès. Porteuses d'intérêts contradictoires et des valeurs qui devraient se rejoindre dans quelque soudure historique à chaud, mais dont le divorce provisoire les déchire, elles sont bien plutôt une charnière qu'un rebut de l'histoire. Mais la charnière ne devient elle-même et efficace que lorsqu'une main pousse la porte. Si l'on veut une autre image, dans une bataille, chaque corps de troupe a son rôle et sa vulnérabilité propres. Mais ce n'est diminuer ni l'infanterie d'exploitation, ni l'artillerie de préparation, ni le rôle des politiques qui créent le terrain favorable aux opérations, ni celui des diplomates qui organisent la paix à venir, que de juger irremplaçable le rôle des divisions de choc. Or nul ne peut nier sans folie que seule cette pointe de l'âge industriel que représente l'élite militante ouvrière est, pour faire la trouée, à la fois assez réglée sur les révolutions nécessaires, et suffisamment aiguisée par le besoin, la révolte et la formation militante. Elle peut, certes, s'émousser, renoncer à sa mission de rupture; elle peut à l'inverse séduire des auxiliaires étrangers à ses rangs. Mais il est bien certain que, si elle avance, beaucoup s'enhardiront de sa hardiesse, si elle s'efface, personne n'emportera sans elle le combat, personne, ni les congrès, ni les revues, ni les sectes, ni les gangs.

Se couper de cette élite d'action, c'est donc, pour quiconque assume une participation quelconque à l'effort historique de ces jours difficiles, un crime contre les buts mêmes qu'il affirme poursuivre. Et si cette élite a, pour l'instant, donné sa confiance à un parti, les plus graves désaccords avec ce parti doivent tenir compte de cette coïncidence, et chacun se souvenir que toute flèche dirigée sur le parti atteint dans sa chair même l'espoir des désespérés et dans sa force leur silencieuse armée. Je précise bien les deux aspects du drame, car ce n'est pas seulement, comme on le dit parfois, une présence fraternelle au monde ouvrier que nous avons pour devoir moral d'assurer, mais une cohésion de la force politique de la révolution que nous avons pour devoir politique de ne pas compromettre.

Remarquons, à l'usage du lecteur étranger qui ne connaît pas toujours cet aspect de la situation française, que nous parlons d'une coïncidence de forces propre à la France libérée, et que là où elle n'existe pas, là où, par exemple, un autre parti authentiquement révolutionnaire occuperait la place qu'occupe, en France, le parti communiste, le problème se poserait de tout autre façon.

Remarquons encore que cette vue prise sur le champ de notre action ne mène nullement à l'immobilité ou au conformisme. On peut, par exemple, vouloir faire sauter cette soudure du parti communiste et du monde ouvrier, si l'on juge que le communisme est en train de trahir la cause dont il se dit l'héritier et si l'on croit discerner dans le mouvement ouvrier les possibilités d'un affranchissement envers ceux que l'on considère, pour reprendre le terme communiste, comme de nouveaux social-traîtres. Mais ceux qui imagineraient cette opération, ou bien l'imagineront hors de l'avant-garde ouvrière, et leur entreprise, aussi hardie qu'elle soit en paroles, sera immédiatement happée par les forces contre-révolutionnaires, pour diviser la conscience révolutionnaire contre elle-même, ou ils la feront sur la base de l'élite combattante ouvrière, du moins en liaison avec elle, et leur souci premier sera de ne donner aucune prise à cette manœuvre d'exploitation, par suite de n'aborder qu'avec scrupules les polémiques internes aux forces révolutionnaires aussi longtemps qu'il sera nécessaire pour mûrir la nouvelle cohésion de ces forces. Leur opération, somme toute, serait ce qu'en termes militaires on nomme un « décrochage », et l'on ne décroche pas dans le tumulte, non plus qu'en annonçant la manœuvre par voie de haut-parleurs.

C'est parce que la richesse ouvrière se confond aujourd'hui dans sa presque totalité avec le communisme, en France, qu'il y a, sans doute, tant d'impuissance politique partout ailleurs. Au premier moment, la raison se rebelle contre l'idée d'une sorte de monopole de l'intelligence politique par une catégorie de la nation. Et certes, il ne faut pas l'entendre comme un monopole sans défaut. Mais les faits sont là. — Du socialisme, on n'accepte pas cette déception sans amertume. Impuissance, vagabondage idéologique et politique, flottement entre l'étroitesse primaire et la niaiserie sentimentale, voilà ce qu'offre aujourd'hui le socialisme français, en dehors de quelques individualités et de quelques foyers épars de vie, au jeune garçon soucieux de hautes luttes et de vie féconde. De toute sa masse amollie, il glisse lentement vers le marais du centre, ce centre qui fascine toujours certaine bourgeoisie française comme le domicile même de la sagesse. Georges Mounin évoquait lucidement, dans un récent numéro des *Lettres françaises*, la désaffection de l'intelligence pour le vide de la « pensée » socialiste des trente dernières années. — Il n'est pas moins de bonnes volontés au M. R. P., du moins à son aile marchante. Mais son alourdissement par ses électeurs de droite, et le confessionnalisme dont il n'arrive pas à se dégager, n'en feront jamais au mieux qu'une réserve de l'action révolutionnaire, un double volant de l'activisme et de l'opposition : aux vocations de pionniers on ne propose pas le club des Girondins. — Restent les édifices nouveaux. Pour avoir été bâtis avec un gâchis de bonnes intentions, de verbalisme révolutionnaire et d'ambitions pressées, ils s'effritent déjà dans un climat plus dur qu'ils n'ont prévu. Pour avoir voulu lancer des pointes brillantes sans disposer des seules bases révolutionnaires possibles, ces « révolutions ratées de la petite bourgeoisie » sombrent ensemble dans l'inefficacité ou dans le ridicule. Leur idéalisme diffus leur a soufflé qu'il fallait, en France, accrocher l'audace politique au souci de l'homme et à certaines valeurs de liberté. Mais leur travaillisme sans travailleurs était aussi et du même coup un humanisme sans hommes. Faute de l'admettre, ses promoteurs ont battu du vent. Nous qui croyons à l'homme, qui aimons la liberté, nous qui essayons d'armer les hommes pour l'enrichissement spirituel qu'ils devront conquérir en conquérant l'indépendance matérielle, nous ne sommes pas fiers de ce qu'ont fait de nos plus chers soucis les socialismes humanistes, les socialismes libéraux et les révolutions spirituelles de tous modules.

Je mets à part ceux qui chercheraient un refuge contre cette pauvreté générale dans quelque nouvelle aventure fasciste, ou ceux qui trouvent hors d'une option politique, dans une méditation personnelle, une force suffisante de vie. On comprend quelle puissante attraction peut exercer sur tous les autres, qui estiment aujourd'hui l'engagement politique nécessaire, ce mélange de dureté militaire et de camaraderie de combat qu'ils retrouvent au parti communiste avec leurs souvenirs de Résistance, avec une acuité de jugement politique qui tranche sur les incertitudes des partis voisins, et quel prestige y ajoute ce vaisseau de haut-bord, la Russie soviétique, pour rallier la dérive de nos espérances.

De fait, dans un mouvement dont l'ampleur est, sans doute, encore mal connue et sous-estimée, nous voyons les meilleurs des jeunes Français issus de la Résistance, ou rentrés des camps de déportation, s'inscrire de plus en plus nombreux au seul parti où ils croient trouver à la fois une discipline virile, le sens de l'histoire, la grandeur et l'efficacité. Au bord de cette décision, se presse un non moins grand nombre de leurs camarades qui, tout retenus qu'ils sont par des sollicitations contradictoires, sentent la tentation du communisme peser de plus en plus fort sur leurs dernières résistances. Dans l'enquête que nous ouvrons plus bas, on mesurera la puissance de cette lame de fond. Il serait léger de voir dans son mouvement le simple effet du conformisme. Ces adhésions terminent en général un long et pénible débat, elles ont l'allure jeune et conquérante d'une conversion religieuse. Si quelques adhésions littéraires plus ou moins tapageuses, comme il en fut vers 1925 au catholicisme, les entourent d'un crépitement de snobisme, elles ne sauraient les déconsidérer. Voilà le fait que nous voulons aujourd'hui découvrir et éclairer. Il faut commencer à en accepter le sérieux avant d'en débattre.

On ne nous reprochera pas d'avoir diminué la double force des séductions communistes, celle qui tient aux valeurs qu'elles proposent, celle qui tient à l'indigence ambiante. Cependant, les responsables de cette revue, ses collaborateurs habituels ne sont pas communistes.

Nous n'arrivons pas, sans doute, à cacher que pour garder en face du communisme la sérénité que nous tenons à garder, il faut souvent nous cramponner des deux mains aux bonnes raisons qui précèdent, quand des protestations impérieuses surgies du cœur même de notre exigence révolutionnaire en viennent bousculer le barrage. De ces protestations intenses, de leur sens, de leur portée, il faut avoir maintenant le cœur net.

Elles n'encombrent pas de problèmes un communiste de stricte école. Ce drame est tout au plus, pour lui, chez les « petits-bourgeois » que nous sommes, un mélange pernicieux et médicalement étiqueté des humeurs sécrétées par notre condition. Intellectuels plus ou moins suspendus entre la bourgeoisie et la révolution, incertains de leurs idées et de leurs options faute de densité sociale, dévorés par les contradictions inhérentes à leur situation sociologique, nous traduisons ce mal organique, par tic professionnel, en concepts et en sentiments. Il n'y a rien à dire à cette psychanalyse sociologique si l'être social explique la conscience sans résidu. Mais c'est précisément le postulat que nous refusons dans son exclusivisme. Nous lui accordons certes un large champ d'application, mais que l'on consente à ne pas en aveugler toute autre perspective sur l'homme. Il est certain que l'on se condamne à ne rien comprendre de certaines attitudes pratiques si l'on prend pour bon argent les raisons claires dont, en toute sincérité, elles se couvrent, et sans remonter aux complexes psycho-sociologiques qui les hantent et parfois les déterminent. Nous ne poussons pas les hauts cris quand les marxistes évoquent, sous le discours que chacun se donne de sa conduite, des motivations secrètes, plus banales qu'ils ne le croient. Mais finalement ce genre d'explication n'explique rien à force de s'appliquer à tout. Tout homme, même le communiste, décide ses comportements sous des influences venues de sa situation sociologique. Cette causalité rend compte assez rigoureusement des comportements moyens et de l'allure générale d'un milieu social donné, parce que la moyenne des hommes flotte sans initiatives notables sur les grands courants collectifs. Mais aucune force ne nous mène que nous n'ayons explicitement ou implicitement décidé de la suivre, par le choix même de notre manière de vivre. Si un déterminisme petit-bourgeois pousse tant d'hommes à l'aveuglement social, c'est que des milliers de petits-bourgeois libres et responsables ont en une fois ou en dix consenti à ne pas pousser au-delà des horizons fixés par leur ambiance. Les petits-bourgeois sont, aujourd'hui, nombreux au parti communiste. Pourquoi, eux, ont-ils fait le saut, si ce n'est par un acte de conversion brisant les chaînes de la pression de classe? Quel sens aurait, sinon, la propagande communiste hors des frontières ouvrières traditionnelles? Les non-communistes sont nombreux dans le monde ouvrier. Pourquoi leur situation de classe ne leur révèle-t-elle pas automatiquement leur mission révolutionnaire? Il faut bien admettre que les situations sociologiques qui poussent à la prise de conscience révolutionnaire n'y conduisent pas à elles seules et que les résistances à l'orthodoxie communiste ne dépendent pas uniquement des impulsions de classe, si puissant soit leur jeu.

Ouvertes ou secrètes, je suppose donc ces influences éliminées par un nettoyage sévère, et notamment cette peur du peuple qui est à la racine de tant d'argumentations anti-démocratiques. C'est au-delà que commencent les problèmes. Si l'on doute que ce nettoyage soit possible, il est inutile de commencer même le dialogue. Par quelle grâce mon interlocuteur communiste serait-il garanti des mystifications indiscernables de sa propre conscience? Les techniques de lucidité intérieure ne sont pas une invention de la IIIe Internationale. Vingt-cinq siècles de christianisme et de rationalisme les ont mûries plus que ne le sont encore les techniques d'action révolutionnaire. L'analyse marxiste n'a fait qu'attirer leur attention vers certaines déterminations sociologiques. Utilisons ses leçons, et ainsi nous n'aborderons nos camarades communistes qu'après avoir déjà reçu d'eux quelque chose. Ils ne trouveront pas abusif que nous les priions, à notre tour, d'abdiquer cette suffisance dogmatique qui leur fait toujours supposer quelque arriération chez l'interlocuteur qui leur résiste.

Cet écueil dépassé, un second se présente. Toutes les objections que nous pourrons présenter aux propositions communistes vont évoquer chez eux autant de campagnes de mauvaise foi. Nous n'y pouvons rien. La mauvaise foi est intelligente, elle n'ignore pas que les arguments fondés, si peu que ce soit, en réalité sont plus puissants que les absurdités. Toute la différence entre la critique de mauvaise foi et la nôtre est dans le soin que nous prenons à isoler le mensonge des vérités dont il s'assure la collaboration, à libérer ces vérités du trouble jeu qu'on leur fait jouer. Mais en quelque matière que ce soit, qu'il s'agisse du communisme, ou d'une religion ou d'une politique nationale, interdire les droits de la critique sur les points où s'est insinuée une manœuvre de la mauvaise foi, c'est prohiber purement et simplement toute liberté critique, car la mauvaise foi s'installe toujours aux faiblesses de son adversaire. En temps de crise révolutionnaire, des précautions de guerre exceptionnelles peuvent être prises contre les complicités involontaires que certaines critiques, par leur force dissociante, peuvent apporter dans leur publicité aux entreprises de la mauvaise foi. Mais ce souci doit toujours être en couple avec le souci d'assurer le dialogue intérieur de la révolution et son autocritique, sans lesquels elle s'immobilise et meurt.

Tous ces écrans levés, abordons le débat.

Est-ce le marxisme qui nous sépare et, comme on dit, son « matérialisme »? Oui et non, selon qu'on l'entend. Je ne reprends pas ici des remarques cent fois répétées dans nos pages et qui commencent à être banales. Le marxisme fait partie du grand courant de réaction contre l'idéalisme et le subjectivisme que personnalismes et existentialismes ont développé peut-être moins profondément que lui dans l'analyse de l'*homo faber*, mais qu'ils ont poussé dans des directions essentielles, par lui négligées. Description aiguë du statut social et technique de l'homme, le marxisme est une philosophie grossière sur les autres incidences. Pour l'intelligence du monde économico-social, de son développement politique, des techniques d'action, il est vrai qu'en très peu de points il soit « dépassé », et il a beaucoup à nous dire encore. Existe-t-il beaucoup de marxistes, et spécialement de communistes (quel serait, sinon, le sens des « mains tendues »?) qui n'objecteraient pas à ce que l'on donnât un autre éclairage philosophique à leurs conclusions pratiques, pourvu que celles-ci restent intactes dans l'essentiel? Il est difficile de le dire. On voit bien en tout cas ce qui les rend actuellement méfiants pour toute proposition de « dépasser le marxisme » ou de chercher au « au-delà du communisme », c'est qu'elles vont, en général, à détruire le ressort même d'une action révolutionnaire. Le marxisme, d'ailleurs, n'est pour l'immense majorité des militants qu'un revêtement justificatif reçu par autorité, même quand il essaye d'être compris par raison. Le communiste ne vit pas plus de marxisme et ne se fait pas plus tuer pour le marxisme que le croyant moyen ne vit de théologie et ne subira le martyre pour un article du Canon, bien que l'un et l'autre, dans leur conduite et dans leur horizon de vie, soient baignés des perspectives de la doctrine et que, le liant au reste, tous deux donneront volontiers leur vie pour ce qu'ils n'entendent pas. Puisqu'il s'agit ici d'alliances ou de refus dans l'action, il faut en prendre les motifs moins près de la théorie, plus près des attitudes et des croyances quotidiennes.

Il est clair, toutefois, que nos réactions d'opposition au communisme pratique seront en relation interne avec les lacunes et les négations du communisme théorique.

Cette liaison est évidente dès la première mise en place des problèmes. On ne déconcerte jamais plus un communiste que lorsqu'on met devant lui des problèmes d'attitude envers l'homme au même rang, voire un peu plus haut, que les problèmes d'efficacité politique. Il se défend difficilement, et, en général, il ne se prive pas de croire que, seuls, la mauvaise foi et le désir de détourner les questions peuvent inspirer cet ordre des intérêts. Il flaire son vieil ennemi aux multiples métamorphoses : idéalisme, moralisme, mystification sociale. De la manière dont on a façonné, circonscrit, arrêté la vision du monde d'un militant communiste, je ne connais rien de plus inespéré que de lui faire admettre que, réglés (si tant est qu'ils le soient isolément) les problèmes de technique économique, d'organisation sociale et d'action politique, on puisse, aujourd'hui, évoquer autre chose que des nuées ou des valeurs déchues.

Je souligne : aujourd'hui. Car si, pour beaucoup d'entre eux, les objections, qu'avec un mépris sans appel, ils nomment « morales », n'évoquent aucune ombre de réalité, d'autres ont l'horizon plus large. Mais les problèmes derniers, pensent-ils, ne pourront se poser qu'*après* la révolution, quand seront établies les conditions matérielles qui permettront aux hommes de la seconde génération révolutionnaire, ou de la troisième, ou de la dixième, d'élargir leurs visées avec leur existence. Évoqués maintenant, ils ne font qu'affaiblir l'élan révolutionnaire et en dévier le sens, car ils sont posés par des bourgeois, avec des concepts bourgeois et dans des perspectives bourgeoises.

Tout cela n'est pas faux, et cependant cette trop courte perspective fausse tout. Les valeurs vivantes de l'homme sont ankylosées par toutes leurs adhérences aux désordres de l'époque, et nous attendons nous aussi leur renouveau de leur transfert des anciennes élites aux nouvelles. Il est certain aussi que nombre de communistes sont porteurs de plus d'authentique spiritualité que n'en dégagent parfois ceux qui leur jettent le spirituel à la figure, et que plus d'humanisme fécond traverse la révolution soviétique que les bavardages de tant de socialistes humanistes.

Mais une interprétation insensée de ces évidences commencerait au moment où l'on admettrait que seule l'action politique exige une application et une lucidité immédiates, la libération spirituelle de l'homme devant être reçue par surcroît, et ne pouvant être en aucune manière compromise dans le déroulement prévu de la révolution. Si dès maintenant nous portons notre attention sur le destin de l'homme, quand tant d'autres sont attelés à la réforme des structures, c'est en sachant au contraire que la libération de l'homme ne peut être qu'une conquête difficile, débattue, précaire, qu'elle pose des problèmes dont le politique ni le sociologue ne tiennent les dernières clefs, et que toute révolution peut échouer par une erreur sur l'homme aussi bien que par une erreur sur la tactique. Nous interdire ces préoccupations dans l'immédiat, c'est dénier à Marx le droit de penser le *Capital* avant que la révolution socialiste soit réalisée. Les rejeter dans une histoire à venir (le règne de la liberté, le communisme anétatique postérieur à la dictature du prolétariat) si lointaine de l'histoire présente qu'elle soit sur elle sans influence, c'est reconstituer les paradis inefficaces dénoncés par Marx et Feuerbach. *Un idéalisme en chasse un autre.*

Nous partageons avec les communistes leur méfiance du « spirituel » bourgeois, leur crainte des dérivations idéalistes et des mystifications bien pensantes. Un certain niveau préalable des disputes nous est ici commun avec eux. Mais nous ne voulons pas que l'homme se ressaisisse d'un côté pour se perdre d'un autre. Nous regardons où ils regardent, et ailleurs encore. Leur préoccupation concerne à peu près exclusivement les moyens politiques et techniques de la révolution première, celle qui affecte les structures sociales et matérielles. La nôtre porte centralement sur le destin qui sera possible pour l'homme dans ces structures nouvelles. Les deux positions ne s'excluent pas *a priori.* Elles correspondent à deux tempéraments différents : d'un côté, un tempérament de techniciens de l'action, plus sensibles aux conditions extérieures de l'histoire et aux nécessités pratiques de la vie sociale qu'aux problèmes de destinée individuelle ou collective ; de l'autre, des tempéraments plus intéressés aux hommes qu'aux choses et qui, lors même qu'ils reconnaissent que le politique et le technicien doivent ouvrir la voie, restent toujours plus passionnés pour les incidences humaines de l'événement que pour ses vicissitudes extérieures. Il faut des uns, et il faut des autres, il faut des bâtisseurs de villes et il faut des bâtisseurs d'hommes. Leurs chemins sont indissociables : pourquoi se haïraient-ils? Pourquoi s'excluraient-ils? La tension entre eux est inévitable, mais chaque groupe a besoin de l'autre, et ils ne peuvent travailler qu'en engrenage l'un sur l'autre.

Mais si nous admettons, pour une partie de la tâche à accomplir, la perspective marxiste, le communisme n'admet pas la nôtre, pour l'autre partie. Bien entendu, nous ne reprochons pas au communisme de n'avoir pas de vision du monde et de perspective morale. Les seules réalisations culturelles et scientifiques de la Russie soviétique nous apporteraient le démenti, et dans le communisme naissant perce une sorte de religion. Mais quand le dialogue nous renvoie une aussi constante déformation des notions les plus élémentaires ; quand le mot de personne n'évoque chez notre interlocuteur communiste que les complaisances du décadent, le narcissisme de l'intellectuel ou les revendications de l'individualisme petit-bourgeois ; quand l'inquiétude spirituelle est réduite au vertige du bourgeois sous les vacillations de son univers ; quand l'effort d'intériorisation, où toutes les philosophies et toutes les religions de l'univers ont, sur une montagne de martyrs et d'expériences, découvert une dominante de la condition humaine, est relégué quelque part du côté des névroses ; alors, on ne peut éviter de demander si l'on ne parle pas, sur tous ces points, de lumière à des aveugles. Or si les permanences de l'homme ont un visage bourgeois, c'est le peuple qui les a le plus richement portées, le même peuple qui a démoli les Bastilles et élevé les barricades. Qu'on ne l'invoque donc pas, à ces moments, contre la décadence bourgeoise ou contre l'aliénation idéaliste. Nous sommes les premiers à vouloir nettoyer avec lui notre édifice spirituel de ses dégradations de basse époque. Mais si l'on s'attaque aux colonnes mêmes de l'édifice, alors ce n'est ni le peuple qui parle, ni les martyrs qui témoignent, ni les lendemains qui chantent, mais une décadence qui bouscule une décadence, une aliénation qui chasse l'autre et pour la révolution comme pour l'homme la plus grave des menaces : *l'homme se perd dans ses fabrications au lieu de se perdre dans sa conscience, il n'est pas libéré.* Seul libère un réalisme intégral, double et constant effort de l'homme intérieur pour se dégager du repli subjectiviste et égocentrique, de l'homme organisateur pour s'arracher au sommeil des choses organisées, et de chacun pour rejoindre l'autre. Précisément parce que notre réalisme veut être intégral, nous pensons qu'on ne peut à aucun moment du processus historique mettre entre parenthèses l'une de ces exigences sans ouvrir un abîme où le sens même de la révolution peut s'effondrer. Nous retombons une bonne fois de plus au problème des moyens et des fins. Il en est tant de caricatures que les communistes pourront ironiser longuement à son sujet. Ils n'empêcheront que la fin commande le style des moyens, même contraints, et que l'abus de moyens hétérogènes à la fin est à bref délai la corruption infaillible de la fin poursuivie.

Nous n'opposons pas aux communistes des inquiétudes d'enfants de chœur. Les opérations violentes de l'histoire ne se font qu'avec de la violence, et la violence attire à elle, avec ceux qui aiment la violence pour sa force de rupture, ceux qui l'adoptent pour la chance qu'elle donne aux passions. Sadiques, ambitieux, démagogues et courtisans font à toute révolution un cortège sans grandeur. Une révolution est aussi une maladie. Mais ce n'est pas la maladie qui répond de la maladie, ce sont les désordres antécédents de l'organisme. Les excès des révolutionnaires leur incombent dans la mesure où ils s'y complaisent, ils incombent autant à toutes ces consciences tranquilles qui injurient la révolution dont elles frayent les chemins. Aucun médecin ne se donne le ridicule de refuser une opération vitale pour ce qu'elle entraîne de sang et de souffrances.

Mais une révolution, si lucide soit-elle sur les auxiliaires qui lui viennent, doit choisir son horizon. Ses chefs, ses intellectuels ont ici une responsabilité capitale. Ou bien ils ne prennent en considération que les réussites techniques de la révolution, avec une indifférence totale à la qualité des sentiments et des procédés utilisés, au mieux avec une sorte d'optimisme naïf sur la vertu automatique des révolutionnaires. Ou bien ils connaissent l'étonnante puissance d'accélération de l'avilissement, et sont soucieux, autant que de remporter des batailles, de maintenir globalement la qualité des hommes qui les remportent, et ce qu'il ne faut pas craindre d'appeler la morale révolutionnaire, si la formule n'est pas employée à nier simplement la morale pour affirmer le fait du plus fort.

Nous ne pouvons être plus entièrement d'accord que nous le sommes quand on combat ce moralisme débile qui encombre l'action virile avec des scrupules d'impuissants tendus sur un souci égocentrique, décadent et semi-superstitieux de pureté individuelle. Les moines combattants qui ont fait la chrétienté ne poursuivaient pas de ruse en combattant cette niaiserie immaculée qui semble aujourd'hui l'idéal de tant de révolutionnaires humanistes. Ils savaient que celui qui s'abstient ou qui se protège dans le danger ajoute, au péché de tous, dont il a la charge avec tous, sa lâcheté personnelle et son fade orgueil.

Mais quand l'antimoralisme devient un système clos, il engendre à son tour un nouveau moralisme. Ce n'est pas en dénonçant, avec une monotonie qui s'use vite, les vieilles corneilles et les nourrices larmoyantes, qu'on en aura fini avec le problème moral de la révolution. On s'est beaucoup occupé depuis quelques années des ravages des complexes de culpabilité et d'auto-accusation. Ce souci a fait trop oublier les ravages non moins considérables et d'ailleurs corrélatifs des complexes d'innocence et d'autojustification. Chez le révolutionnaire qu'irritent les réticences des « purs », se développe à l'aise le sentiment que la pureté n'a rien à lui objecter parce qu'il est lui-même le Pur, parce que la Révolution innocente et sacralise tous ses actes. Un vrai réalisme moral l'amènerait à montrer au réticent par objection de conscience la relativité commune où se déroule leur action, et à le persuader ainsi de descendre de sa tour dans les mêlées incertaines qui perceront la fumée des combats. Mais cette sorte de consécration que le militant communiste s'est donnée par la vertu de son adhésion révolutionnaire développe souvent sur lui un autre narcissisme, celui de la pureté exclusive de l'impur. L'objection morale l'atteint dès lors comme un sacrilège dans les œuvres vives de sa tour d'amoralisme vertueux. *Au moralisme s'est substitué un contre-moralisme.* Pour peu qu'une notion d'usage aussi facilement ambiguë que celle de dialectique lui permette de justifier n'importe quelle fantaisie collective de parole ou de conduite, ce contre-moralisme risque bientôt de favoriser un immoralisme conscient et organisé. Il insinue, sous une affirmation formelle d'obéissance aux déterminismes de l'histoire, une sorte de bon plaisir politique inconscient de sa gratuité. *Cette philosophie de volonté matérialiste et objective s'évanouit en subjectivisme d'État.*

Nous évoquons trop rapidement les données d'une analyse dont on ne saurait exagérer l'opportunité. Si le matérialisme dialectique rend compte de l'infrastructure des révolutions, elles se déroulent, sur un secteur au moins aussi vaste et mal exploré jusqu'ici, dans le domaine de nos conflits moraux et spécialement sur les jeux de la culpabilité inconsciente. Tout l'enrichissement que l'économisme marxiste a apporté à la connaissance de l'histoire et à l'efficacité de l'action, il faudra que l'on consente à le voir compléter par un psychologisme historique dont l'importance est au moins aussi grande du point de vue d'un réalisme intégral. On se débarrasse aisément du moralisme. Mais si l'on veut avec lui déconsidérer toute perspective de valeurs sur la révolution, toute volonté de faire peser les exigences permanentes de l'homme sur les nécessités de l'action, on dissout la force même de la révolution. Ses instruments se mettent alors à jouer le jeu aveugle des choses dont l'homme abandonne la conduite, ils se retournent contre son inspiration, de même que la propriété bourgeoise se retourne contre le propriétaire et l'asservit, que l'œuvre du prolétaire retombe sur lui et l'écrase. *A l'aliénation des opprimés dans l'État capitaliste succède l'aliénation des révoltés sous l'appareil révolutionnaire.*

La constance de ce positivisme moral dans le communisme international est la principale objection que lui font tous ceux pour qui le socialisme, tout en réalisant immédiatement un bouleversement des structures, est centralement une promotion de l'homme. Suivons-la sur quelques illustrations.

Je sais tout ce qu'implique de mauvaise foi le procès en mauvaise foi qu'on instruit généralement à la propagande et à la manœuvre communistes. Jouir à la fois des avantages du pouvoir et des profits de l'opposition, régler ses tactiques politiques sur leurs incidences électorales, inscrire les faiblesses de l'adversaire sur des mythes capables d'émouvoir les imaginations populaires, tout en faisant de ses propres faiblesses vertu, être habile à saisir l'occasion et à grossir l'aubaine, ce sont mœurs courantes d'Empire en République et de parti à parti.

La différence entre les communistes et la plupart de leurs adversaires, c'est qu'ils mettent dans la mauvaise foi une décision, une brutalité, on est tenté de dire une simplicité et une robustesse qui désarçonnent les hypocrisies compliquées et les jésuitismes nuancés des vieux politiques. Mais ces qualités de style qui enchantent parfois les intellectuels ne transforment pas pour autant la mauvaise foi. Le parti communiste ne niera pas qu'il l'utilise sans scrupule, chaque fois qu'elle lui est utile : ses théoriciens s'en vantent et la mettent en arguments. Mais si j'en crois le plus intelligent parmi les plus jeunes, ses raisons sont bien mauvaises. On feint de confondre le scrupule de la vérité et le respect du partenaire avec les effusions de la « sincérité » romantique, comme s'ils n'étaient pas, à l'opposé de cette vertu molle et complaisante, une discipline et une désappropriation. Non, la sincérité « n'ajoute ni n'enlève rien à la vérité ou à la fausseté d'un jugement, à l'efficacité ou à l'inefficacité d'un acte ». Mais l'honnêteté intellectuelle et le respect de l'homme ouvrent seuls les chemins de la vérité et suscitent la seule efficacité qui ne se retourne pas finalement contre l'action. Le plus grave n'est pas l'usage de la mauvaise foi. Qui peut répondre d'en être exempt? On ne fait pas de la politique avec des archanges, et les politiciens-ecclésiastiques ne sont guère en reste à travers l'histoire sur les politiciens laïques. Mais les Églises pesaient elles-mêmes contre leurs entreprises frauduleuses par le contrepoids intérieur d'une inspiration qui proscrit le mensonge et le mépris de l'homme. L'humanisme moderne gardait, au cœur de son machiavélisme de bonne compagnie, la puissance dissolvante d'une morale universelle bien que fragile, qui servait son hypocrisie et en disloquait en même temps les effets. Notre génération a vu venir le moment inquiétant où la mauvaise foi a pris l'habitude de soi au point qu'elle ne se perçoit plus même comme mauvaise foi, et qu'elle s'invente une sorte d'allégresse jeune comme d'une vertu naissante. Nous ne disons pas que le communisme soit l'agent initial de ce tournant. Nous avons vu de cette bonne conscience machiavélique des exemples plus purs (ou impurs) qu'il n'en offre. La vertu populaire, que nous évoquions plus haut, et l'espérance révolutionnaire continuent souvent chez lui de jouer le rôle de ce dissolvant interne que tient ailleurs la foi chrétienne ou le scrupule humaniste. Mais nous n'en touchons pas moins ici une des tentations dominantes du réalisme communiste, et le motif principal, quoi qu'il en croie, de la répugnance que lui manifestent tant de révolutionnaires.

C'est en ce point que beaucoup se demandent si le mal totalitaire n'a pas envahi le communisme si profondément que l'on puisse redouter de le voir revenir parmi nous par son biais. Ici encore il faut écarter les polémiques mensongères. L'assimilation entre le communisme et le fascisme est une injustice, et l'on comprend qu'elle soit abominable pour celui qui vit de l'intérieur l'espérance communiste. On ne peut nier cependant que les deux régimes ne présentent au moins quelques apparentements sérieux, en bien et en mal, dans leur réaction contre la démocratie formelle, dans leurs structures d'État centralisées, leur Parti unique, leur appareil policier, leur goût des politiques du fait accompli, leur refus du parlementarisme international, et quelques autres traits encore. Il semble que l'on puisse rendre compte de ces apparences de deux manières. D'une part, la Révolution du XXe siècle marque une divergence radicale à l'égard des révolutions libérales des deux siècles derniers, et l'on conçoit que des États d'inspiration et de finalité très différentes puissent avoir happé au passage des nécessités ou des structures d'époque qui les rapprochent dans les réalisations, là même où ils s'affrontent en esprit. La même force assimilatrice commence à incliner lentement les anciennes démocraties formelles vers des structures moins libérales. Ça n'est pas tout cependant. La Russie soviétique n'*est* pas l'État totalitaire. Mais un mal totalitaire a fondu sur l'Europe. Il a produit son exemplaire parfait dans le régime nazi : il n'a pas laissé intactes les autres structures. Nous en éprouvons chaque jour la virulence durable dans nos démocraties vieillottes. Il s'est insinué dans l'appareil soviétique comme partout ailleurs, plus qu'ailleurs sans aucun doute, parce que les structures centralisées d'une époque révolutionnaire, l'inflation policière qu'elle entraîne, et les immenses espaces de la Russie, difficiles à rassembler, ont offert aux tentations totalitaires, sinon un esprit plus docile, du moins des conditions plus favorables.

Est-ce injurier la Russie soviétique que de faire ces remarques? En aucune façon. Le meilleur attire parfois le pire, plus que le médiocre. L'Église catholique, par ses structures, par leurs vertus et par leurs tentations, est sans doute, sous son aspect temporel, avec l'État communiste, la puissance la plus directement menacée de déviations totalitaires. Aussi bien, rien n'évoque plus les aspects du cléricalisme, ce parasite du christianisme d'Église, que cette sorte de cléricalisme impérieux qui rend le climat communiste si rude pour le goût français de la spontanéité, de l'indépendance et de la confiance donnée à l'intelligence de chacun. Dans un monde communiste, la France verrait sans doute se réveiller sa tradition gallicane, et le peuple français jouerait dans l'histoire nouvelle le même rôle que les rois très-chrétiens aux siècles passés, devant les ambitions de la toute-puissance pontificale. En tout cas, d'un cléricalisme à l'autre, notre réaction est la même. Ce n'est pas une réaction anarchiste. Le cléricalisme communiste, comme l'autre, est la rançon de solides qualités, propres à briser l'étroit individualisme d'Occident et à dissoudre le scepticisme d'une Europe alanguie : la foi vive, la fermeté doctrinale, le sens de l'Église, — d'une solidarité collective à la fois mystique et disciplinée, — la cohésion dans l'action. Ce n'est pas un hasard si le dialogue du communisme avec le catholicisme est plus serré et plus fiévreux qu'avec aucune autre force dans le monde : par certains biais, ils s'évoquent l'un l'autre. Le seul problème est de savoir si le communisme cédera à son propre cléricalisme et s'y pétrifiera ou si, comme l'Église, il le rongera sans cesse par une sorte de ressource interne. Le cléricalisme ecclésiastique est officiellement condamné par la doctrine de l'Église. Chaque jour, dans des journaux et des écrits chrétiens se manifeste l'opposition permanente qu'il rencontre dans l'Église. Si le communisme venait à nous offrir les mêmes signes de liberté intérieure, une grande part des oppositions qu'il soulève retomberait. Nous n'avons pas la simplicité de penser qu'une révolution, qui est une guerre, puisse se réaliser sans des moyens de guerre, c'est-à-dire sans un degré quelconque de dictature. Mais il y a dans la dictature et dans sa puissance centralisée une lourdeur telle que le premier devoir de révolutionnaires qui ne veulent pas voir la révolution se figer dans l'inhumanité est de prévoir, avec la dureté de la dictature pour les saboteurs de la révolution, la souplesse de son appareil à l'égard des spontanéités intérieures de l'élan révolutionnaire. Quand nous parlons de spirituel, on croit que nous agitons des nuages. Mais le spirituel *politique*, en période révolutionnaire, ce n'est pas autre chose que cette spontanéité populaire. C'est sa liberté créatrice qu'il faut protéger contre les ambitions des conducteurs et contre les lourds appareils de l'État. Beaucoup doutent que le communisme se soit beaucoup préoccupé de ces problèmes et qu'il ait jusqu'ici le goût de leur apporter une solution.

C'est ici que nous retrouvons la vertu — pratique, Pierre Hervé — de nos convictions fondamentales. « Le *Hic et Nunc*, écrivez-vous, n'a pas de valeur. » Je sais bien qu'il s'agit alors de démontrer qu'aucun problème ne peut actuellement se résoudre que dans sa liaison à l'évolution générale du monde. Des problèmes? Mais pour qui faites-vous donc la révolution? Pour des idées? Pour l'amour du *Capital?* Pour « l'intégration de la finité des choses à l'ordre universel »? Ou pour les hommes? Pour que des hommes malheureux soient moins malheureux. Pour que des hommes désespérés retrouvent l'espoir. Pour que des hommes accablés connaissent les joies de la libération. Notre *hic et nunc*, nos *personnes*, notre personnalisme si vous voulez, ce n'est pas une doctrine en concurrence du communisme, cette concurrence dont vous avez si peur. Ce sont ces hommes un à un, leur souffrance, leur désespoir, leur accablement et l'espoir que nous voudrions leur voir avant de mourir, fût-ce de votre main. Ils veulent d'abord du pain pour être des hommes, et de la sécurité (assez, pas trop), et de la paix. Nous le savons bien. Mais ils sont tels que s'ils avaient assez de pain pour penser à ce qu'ils veulent, ils demanderaient de la liberté avant le pain. Et c'est peut-être parce que le capitalisme les a finalement privés de liberté autant que de pain qu'ils semblent si souvent indifférents à la liberté. Or nous savons aujourd'hui que des régimes peuvent donner le pain à satiété et des maisons ouvrières et des loisirs, demandez plutôt à M. Ley pendant qu'il est encore un frais souvenir, et stériliser dans ces esclaves les derniers vestiges de l'homme. Nous ne voulons pas du Grand Inquisiteur. Mais il hante les ruines de l'Europe. Et je voudrais vous sentir aussi fervents à encourager la spontanéité ouvrière, le libre jugement du militant, les libres organismes ouvriers que l'on vous sent enivrés de lucidité, d'efficacité, et si j'ose dire de compacité. Je voudrais ne pas éprouver si souvent, quand je me trouve devant un fonctionnaire communiste un peu vieux dans le métier, ce sentiment d'être aussitôt transformé en un instrument dont un technicien avisé se demande où le classer, quelle utilité en tirer, quoi lui dissimuler, sous quel biais le happer, quelles résistances en attendre. Je voudrais que le militant communiste soit formé à ne pas se croire débarrassé d'un homme quand il l'a projeté sur sa catégorie sociale ni d'une pensée quand il l'a traduite en dialecte marxiste. Je voudrais qu'on lui apprît à admettre avec un de nos grands psychiatres qu' « avec l'homme *on ne sait jamais* », et qu'on l'habituât au premier commandement de la science, qu'il respecte tant, *à savoir ignorer*.

Notre croyance fondamentale, c'est qu'une révolution est une affaire d'hommes, que sa principale efficacité est la flamme intérieure qui se communique d'homme à homme, quand les hommes s'offrent gratuitement aux hommes. Il n'est pas là pour autant nécessaire de mépriser les techniques d'interprétation ou les techniques d'action. La maîtrise qu'y développe le tempérament communiste a fait faire de grands progrès à la conscience révolutionnaire. Il n'est pas question de la ramener à l'utopie, mais de l'enrichir par un nouvel épanouissement, de la maintenir au niveau originel du peuple qui la porte, au lieu de dessécher cette richesse populaire par des scolastiques de pédants ou de l'écraser sous le pavé de l'ours.

Allant du connu à l'inconnu, tournant tantôt notre connaissance du communisme français à deviner la Russie soviétique, tantôt notre connaissance incertaine de la Russie soviétique à prévoir les destins du communisme français, nous promenons de l'un à l'autre les mêmes objections et les mêmes attirances.

Avec ses vingt-huit ans d'avance, la Russie soviétique pourrait être une sorte de message d'avenir des communistes européens, le bulletin de propagande antidaté d'une révolution parvenue à sa majorité. Mais encore faudrait-il que nous puissions la connaître, et l'on sait que la connaissance par ouï-dire n'est pas une connaissance entraînante et enrichissante. Comment les communistes ne se sont-ils pas encore rendu compte qu'en face de la mauvaise foi systématique dont fait preuve à l'égard de l'U. R. S. S. la majorité de nos informateurs, la simple vérité, avec les faiblesses mêmes qu'elle révélerait, serait plus *efficace* qu'une propagande également déformée? Qui pensez-vous persuader qu'un pays d'hommes ne compte que des écoles modèles, des statistiques ascendantes, des politiciens vertueux, des gouvernants géniaux, des laboratoires inégalés, des corps florissants, des hommes heureux et des villes modèles? A quoi bon remplacer un Saint-Sulpice par un autre? Pourquoi moquer les rêveries sur *l'autre monde*, les utopies de la pureté, et les recommencer sur de nouveaux frais? Que nous croirions mieux à l'enthousiasme, à l'héroïsme, à l'espérance des hommes de là-bas si on nous les offrait comme des hommes, tour à tour admirables et odieux, réussissant parfois, échouant souvent, agités d'autant de passions que de ferveurs, vivant d'inquiétude autant que d'assurance, dans un régime comme eux mêlé de grandeurs et de faiblesses! Je dis que nous y croirions mieux, et plus sûrement. Je ne dis pas que nous n'y croyons pas. Est-il donc si peu visible que des milliers d'hommes non communistes en Europe désirent de toute leur âme y croire, que tout serait trop sinistre si les pauvres gens, avec cette espérance-là, ne mangeaient que mensonge, si l'Europe ne méritait pas cette première promesse, parmi ses maladies de vieille femme? Mais de tous temps, le zèle a barré les chemins de foi, la propagande a repoussé l'intelligence, et les mensonges des dévots ont détourné de la dévotion. Faut-il que l'on veuille libérer l'homme et qu'on hésite à le traiter en adulte?

On ne dira jamais assez qu'un des premiers caractères de la démocratie, c'est la publicité. La publicité, c'est la confiance faite au peuple, l'hommage du pouvoir à l'opinion qui le soutient. Puisqu'on aime le langage de l'efficacité, ajoutons que les cachotteries des gouvernements ne sont jamais efficaces. Il y a trop d'yeux et d'oreilles intéressés : croyez-vous que l'Europe soit sourde à ces rumeurs persistantes de déportations brutales, de camps de concentration surchargés, d'exécutions massives que lui apporte le vent d'Est? Que craignez-vous? Nous savons bien que l'heure est cruelle, que des haines inouïes se sont accumulées, qu'on ne résorbe pas en un jour le climat de fureur qui a régné sur les peuples, que des nécessités se présentent devant lesquelles les sentiments doivent parfois provisoirement abdiquer. Malheur à qui a pris son parti d'un seul sadique humiliant dans un seul camp un seul survivant de l'ère maudite des parcs d'esclaves. Mais enfin, on comprendrait que l'affreuse courbe ne pût s'affaisser que par degrés, que quelques gouttes d'horreur coulent encore sur la carte d'Europe avant le dernier coup d'éponge. Seulement, ne voyez-vous pas que ce silence épais dont vous entourez votre monde est le plus sûr résonateur pour toutes les rumeurs et pour tous les mensonges? La presse anglaise est pleine, à longueur de colonnes, de récits affreux où ressuscite un frisson que nous croyions chassé d'Europe par la victoire commune des armées russes et alliées. Je veux que ces récits soient faux. Mais qui invente cette documentation signée, datée, localisée? Comment la dénoncer valablement si n'importe quel journaliste ne peut, par avion, en 24 heures, se rendre sur les lieux incriminés comme il l'eût fait partout ailleurs dans l'Europe d'avant-guerre? Jeunes communistes qui vous êtes battus avec nous contre l'avilissement de l'homme, mesurez-vous notre angoisse devant cette incertitude, sous l'intolérable sentiment que nous pourrions perpétuer sur les peuples libérés et libérateurs les procédés des maîtres vaincus! Une révolution peut être dure, sanglante, impitoyable. Elle peut fusiller plus qu'il ne faut, spolier plus qu'elle ne doit, sans doute est-ce dans la fatalité de ces catastrophes. Mais nous sommes, j'espère, nombreux, à ne plus accepter que jamais, où que ce soit et par qui que ce soit, l'homme soit traité en esclave, fût-ce l'ennemi

6

vaincu ou l'exploiteur dépossédé. L'homme peut être désarmé sans être avili ni désespéré. La mort même n'est pas la pire des morts. S'il est un sentiment populaire chez nous, c'est bien celui-là. Toujours, le peuple français, laissé à son sentiment spontané, a traité dignement l'adversaire abattu : voyez-le aux Tuileries comme au maquis, aux occupations d'usines comme aux journées de la Commune. Les massacreurs, les sadiques, ce furent toujours de petits-bourgeois affolés, avocats révolutionnaires ou boutiquiers revanchards. Ce n'est pas en intellectuels débiles ou en bourgeois pusillanimes que nous demandons la rectitude des méthodes révolutionnaires, c'est par tout ce que le peuple nous a communiqué d'humanité lucide et de respect pour l'homme.

Il y a quelque ridicule, je le sais bien, à demander des comptes en révolution à un régime qui depuis près de trente ans a établi, dans l'hostilité générale de ses voisins, le premier État socialiste sur le cinquième des terres émergées. Et si l'on pense à la somme de sacrifices et d'enthousiasmes qui a nourri cet effort surhumain, on ne se sent pas une très vive sympathie pour ce haussement d'épaules de l'homme quelconque, qui, ayant perdu dans l'affaire son petit équilibre personnel, secoue sur la peine des hommes la poussière de ses savates. Mais enfin, nous connaissons tous des héros qui se sont mis un jour à toucher des rentes, et des Empires qui se sont assis sur leurs conquêtes. Des milliers de jeunes hommes qui adhèrent aujourd'hui au parti communiste font une sorte de pari que l'on peut formuler ainsi : « Nous pourrons apprendre le pire sur la Russie soviétique, connaître au Parti les plus lourdes déceptions. Il n'en reste pas moins qu'aujourd'hui, dans la carence générale et dans la configuration mondiale des forces, le Parti communiste est le seul qui puisse faire la percée révolutionnaire, la Russie soviétique est le seul soutien des forces révolutionnaires universelles. Toute réserve sur les moyens de la Révolution doit s'effacer derrière la chance de la Révolution. » Les prémisses étant admises, la conclusion semble infaillible. Mais si l'on doute des prémisses? La Russie soviétique reste-t-elle la Russie léninienne, un régime ouvrier et paysan progressif et spontané, ou est-elle devenue entièrement, irrémédiablement fonctionnarisme d'État et de parti, greffé sur la souche révolutionnaire? La Russie stalinienne veut-elle la libération sociale des autres pays européens ou retient-elle les partis communistes dans une politique temporisatrice d'abord, conservatrice ensuite, tendant à désarmer lentement le socialisme international au profit de sa puissance établie? L'aîné veut-il le bien de ses cadets, ou leur perpétuelle minorité? Je connais la réponse de l'aîné, je n'en exclus pas la vérité. Peut-être cette modération est-elle la suprême sagesse : le capitalisme américain est tout-puissant, la Russie a subi une terrible saignée (trente millions de militaires et de civils, pensent certains), les plus riches régions de son territoire sont en ruine. Pour se reconstruire, elle doit composer, et pour composer accepter une période de compromis entre la force capitaliste et la révolution soviétique dans la zone sensible à l'influence américaine. Toute autre politique y étoufferait les germes du socialisme dans l'intervention américaine brutale qu'elle provoquerait.

Il est difficile de penser, quand on regarde la carte des forces, que cette explication soit sans valeur. Mais explique-t-elle tout? Il n'y a pas de communisme en soi, ni de Russie soviétique en soi, pas plus que de capitalisme en soi. Le marxisme-léninisme a pris chair dans une nation préformée, héritière de telles nécessités géographiques et de telles traditions historiques, dans un peuple de tel tempérament, parmi des hommes et dans un État qui ne sont pas soustraits aux penchants éternels des hommes et des États. Les intentions ne sont pas en cause. L'analyse marxiste professe précisément que, sous les *intentions* de la conscience, individuelle et collective, s'expriment des *situations* plus fondamentales que les justifications conscientes. Pourquoi cette loi cesserait-elle de valoir à un moment donné de l'histoire? Dans ces longs voyages où l'on vieillit en route, les plaisirs ou les installations du chemin font souvent oublier au voyageur le but de son voyage. Le romancier est parfois détourné de son premier dessein par les développements mêmes qu'il en tire. Dans quelle mesure la Russie soviétique a-t-elle ranimé le vieil impérialisme russe? Serait-il contradictoire d'imaginer un impérialisme socialiste succédant à l'impérialisme capitaliste? Peut-être, quand nous croyons l'entrevoir dans certaines manifestations, ne faisons-nous qu'une erreur de perspective que l'avenir dégagera. Mais qui nous en assure? Une confiance aveugle? N'est-elle pas la démission de ce jugement historique dont on nous demande d'entretenir la « lucidité froide »? A se placer même d'un point de vue révolutionnaire, les intérêts de la révolution française ou du socialisme universel sont-ils nécessairement et infailliblement liés aux intérêts immédiats de la révolution russe? A mesure que l'Europe deviendra socialiste, son intérêt révolutionnaire, unanime dans l'opposition, ne se fragmentera-t-il pas inévitablement entre des zones inégales de force et d'initiative? Pourquoi, dans ce complexe, se régler à un seul point de vue? La coïncidence absolue que chaque jour permet de constater entre les décisions du Parti communiste français et les volontés de l'État soviétique ne prouve pas évidemment que les communistes français, comme on le dit, reçoivent leurs ordres passivement de Moscou. Elle établit au moins qu'ils ne nous ont pas encore donné, par gestes probants, l'assurance que leur fidélité, louable, et somme toute point différente des fidélités et des liaisons symétriques du parti américain, est aussi indépendante et inventive. On ne pouvait être plus dépendant de puissances extérieures que le fut de Gaulle de 1940 à 1944. Cependant, avant de commencer au pouvoir la série d'erreurs qui nous a détachés de lui, il réussit, par quelques actes décisifs, à imposer le visage d'une autorité souveraine, avant même qu'il ne débarquât sur les vaisseaux de l'étranger. Nous ne demandons pas plus à nos communistes nationaux, à l'égard d'une nation, d'une expérience et d'une politique si fortement imprégnées de conditions historiques et psychologiques particulières. Quand M. Courtade affirme que, pour des socialistes, il n'est qu'une politique valable, celle qui donne toujours raison à l'État le plus progressif, outre que son critère exige l'unanimité des socialistes sur la détermination de l'État progressif, il manifeste, pour un marxiste, un idéalisme étrangement éperdu : car il vient à supposer que l'essence du socialisme flotte sans mélange sur les peuples et sur leur politique, alors qu'ils y jettent à gros flots le bouillonnement de vingt siècles d'histoire et les passions de millions de vivants. Nous n'avons pas tant de naïveté, et nous demandons, si l'on veut bien, une juste péréquation du réalisme.

J'espère avoir assez marqué combien mes questions sont ouvertes. On peut les serrer en faisceau, et en faire, par le simple durcissement, un énorme mensonge de guerre contre le communisme et la Russie soviétique. Ce mensonge, nous le refusons. Mais il n'empêche que chacune de ces questions soulève une angoisse irrésolue. Liées en faisceau dans une bonne volonté socialiste, elles n'agglomèrent plus un mensonge, mais forment le drame le plus déchirant qui tourmente aujourd'hui la conscience européenne. Elles ne sont pas des façades, elles ne sont pas mises ici à la place d'affirmations que nous n'osons pas avancer. Ce que nous affirmons, nous l'affirmons sans biais. Où nous questionnons, règne un doute, peut-être injustifié. Il risque de servir d'épine à la contre-révolution, nous le savons aussi bien que les communistes. Mais précisément parce que le danger est grave et proche, ils ne peuvent le traiter par l'injure. Il leur appartient de le dissiper en ne lui laissant, pour leur part, aucune prise valable. Isolé, le mensonge ne tarderait pas à épuiser sa force.

Il est vrai que l'on peut porter ce drame et ces doutes, et adhérer tout de même au Parti communiste. Un acte politique est un pari sur l'avenir autant et plus que l'adhésion à un donné. Il suffit que l'on croie le communisme malléable, et que l'on compte y peser de l'intérieur pour le conduire dans les voies souhaitées. C'est dans cette volonté, j'imagine, que certains jeunes y adhèrent. Je ne crois pas que ce soit la seule restriction mentale qu'il soit possible de glisser sous sa carte d'adhérent, aujourd'hui où l'adhésion au Parti est assez largement ouverte. D'autres y voient une solution d'attente, soit qu'ils ressentent, avec l'impossibilité morale de s'insérer nulle part ailleurs, le remords de rester inactifs, soit qu'ils aillent chercher au Parti une forte école politique et les vertus du contact populaire, en attendant de leur trouver un usage, soit enfin qu'ils y attendent quelque dislocation et regroupement des forces plus à leur goût. Aucun de ces modes d'adhésion ne satisferait, il va de soi, l'intransigeance d'un fanatique, mais ils peuvent aller de pair avec une parfaite loyauté à l'égard d'un Parti vivant et en devenir.

Ce n'est donc pas, même du point de vue communiste, à l'impuissance et à l'abstention que conduisent les réflexions que nous venons d'agiter. Bien plutôt doivent-elles fouetter l'indifférence des uns et le sommeil dogmatique des autres. Ces jeunes communistes qui n'ont l'habitude ni du Parti ni de la Révolution, si proches encore de leurs hésitations et de leurs débats d'hier, vont-ils apporter au Parti communiste ce sang nouveau qui, à chaque génération, fouette le sang trop lourd des générations précédentes? Ou, confondant l'ordre viril avec la discipline d'école, vont-ils chercher dans des cadres rigides une tranquillité pour leurs inquiétudes, et dans cette révolution, somme toute, en cette année 1946, peu subversive et très ministérielle, l'illusion de la révolte? Ce sentiment de libération qu'ils ressentent de par leur décision, est-ce le signal intérieur d'une dure et exigeante aventure, ou la simple décharge de leurs doutes, et de l'immense déchirement que nous venons de décrire entre l'humain et l'inhumain, mêlés dans les deux mondes qu'ils chevauchent, est-ce une lumière ou une déroute? Puisqu'ils ont réussi à surmonter leurs objections intérieures, qu'ils profitent de la vitesse qu'ils en tiennent encore. L'avenir du communisme dépendra beaucoup de leur courage intellectuel et politique, de leur imagination, de l'ampleur de leur regard sur l'homme. Il dépendra aussi de la liberté qui leur sera laissée, ou qu'ils sauront conquérir dans un puissant appareil.

Quant à ceux qui comme nous gardent des raisons de maintenir, sans préjudice des collaborations fraternelles et lucides, l'indépendance de leur action, d'ailleurs excentrique au politique pur, qu'ils ne s'attardent pas à ergoter sur le passé. Ce qui compte, c'est l'avenir de notre pays, de l'homme, de la révolution pour l'homme. Peu importe qui la fera, mais qu'elle soit faite, et comment elle sera faite. Y défendant certaines exigences, nous avons l'avantage de ne point entrer dans la concurrence des troupes, des postes et des étiquettes, avec ceux qui mènent le combat pour le pouvoir et nourrissent eux-mêmes le goût du pouvoir : cette situation nous laisse toute liberté pour aider n'importe qui entreprendra une révolution authentiquement populaire et efficace, et dès maintenant, être aux côtés de tous ceux qui la préparent, sous un nom ou sous un autre, de plus ou moins près, de plus ou moins loin. On peut être décidé à ne jamais se séparer, même sous les plus troublants prétextes, des forces qui ont la confiance des opprimés et n'en être que plus exigeant pour les titulaires d'une si lourde espérance.

Aussi nous promettions-nous depuis des mois d'adresser à nos camarades communistes ce discours dur et fraternel. Pendant des mois, il s'est fait alternativement de plus en plus dur, puis de plus en plus fraternel, et ainsi tour à tour sans arrêt. Peut-être en apparaîtra-t-il comme suspendu entre deux sollicitations contraires. Comme les forces qui nous retiennent de leur faire une plus totale confiance ne sont point des timidités, mais des fidélités inébranlables à une image ouverte de l'homme, il ne tient qu'à eux de les détendre en dénouant nos inquiétudes jour par jour, comme ils ont seuls le moyen de le faire. Notre différence avec beaucoup d'autres, c'est sans doute que nous souhaitons, de tout notre cœur, qu'elles soient de vaines inquiétudes.

CHAPITRE III Anarchie et personnalisme

Le mouvement ouvrier au tournant

« Ce que nous avons dit de la majorité sociale de la classe ouvrière, écrivions-nous un jour [1], nous mène à conclure qu'une action qui ne passerait pas par elle, n'intégrerait pas sa maturité politique, son expérience fraternelle, son audace de vues, sa capacité de sacrifice, est aujourd'hui vouée à l'échec, voire à la stérilisation progressive [2].

« Est-ce à dire que le personnalisme doive se poser le problème global de la conquête de la classe ouvrière? Non : il ne se propose ni une action de classe, ni une action de masse. Mais, allant rejoindre dans le mouvement ouvrier, et spécialement dans le mouvement ouvrier français, de vieilles traditions personnalistes, qui ont pris d'autres noms et d'autres visages, il a pour mission propre de *réussir la jonction entre les valeurs spirituelles déconsidérées à ses yeux par l'utilisation qu'en a faite le monde de l'argent, et les authentiques richesses, spirituelles elles aussi, qui sont conservées dans l'âme populaire plus authentiques que partout ailleurs.*

« Une double colonne doit s'avancer ainsi contre la civilisation défaillante. »

Cette position du problème est plus difficile qu'il n'apparaît au premier abord. « *Être* avec le peuple », cette exigence d'un don sans avarice dans une confiance totale, souffre

1. *Manifeste au service du personnalisme*, voir p. 648.
2. Paru dans *Esprit*, avril 1937, puis dans le recueil, *Liberté sous conditions*, Seuil, 1946, enfin dans le tome I des *Œuvres*, p. 653-725.

impatiemment de paraître lésiner avec la misère quand notre critique doit porter au cœur même des croyances populaires les plus endurcies, sinon les plus profondes. En refusant l'appel de tel politicien, l'orthodoxie de telle doctrine, nous blessons directement des hommes simples et sains, qui croient jauger notre sincérité à l'assentiment ou au refus que recevront ces appels et ces orthodoxies : comment leur faire comprendre que nous le faisons par respect de leur avenir et par défiance de nous-mêmes, tâchant de trouver à tâtons, avec leur expérience plus qu'avec leurs formules, leur vrai destin, qui déborde et peut-être contredit cette orthodoxie dangereuse dans laquelle ils pensent l'exprimer, ou ces hommes qui parasitent leur révolte.

Le meilleur moyen de les en convaincre, et de nous assurer, à travers ces séparations provisoires, une authentique communion avec la volonté profonde du peuple, est de sortir à la fois du plan polémique et du plan politique, je veux dire, au bas sens des mots, du plan où les doctrines chicanent et du plan où les principes composent.

Précisons encore. Il est une manière de présenter le personnalisme comme une machine armée faisant feu de toutes pièces, méthode utile pour démanteler les systèmes et disperser les ruses des intellectuels, mais qui ne touchera jamais ceux que nous voulons aider à se libérer. Il est une seconde tactique, non exclusive de la première, portant sur d'autres points et sur d'autres hommes, — tactique d'immanence, auraient dit nos pères, — que nous voudrions ici inaugurer, en ce qui regarde les problèmes ouvriers. Ces hommes obscurs qui, depuis les premières Unions de métier, des Trois glorieuses à la Commune, de la rue Transnonain au Mur des Fédérés, de la forteresse Pierre-et-Paul aux faubourgs de Vienne et de Madrid, pensent inséparablement de la mort un long destin d'hommes abandonnés, méprisés, traqués, nous n'avons pas le droit, enfermés dans je ne sais quelle sérénité bourgeoise ou pédante, de les identifier à des systèmes. Les systèmes mêmes qu'ils ont adoptés, comme la première perche tendue, la seule nourriture intellectuelle qu'on leur offrait et qui fît écho à leur vie quotidienne, la seule qui se présentât ainsi d'emblée avec la séduction d'une culture globale et pour eux vivante, on pense bien qu'ils ne les ont pas adoptés comme un intellectuel adopte des idées, pour de purs motifs rationnels. D'abord ces systèmes sortent un peu, et certains beaucoup, de leur vie et de leur sang : les intellectuels qui les ont formés vivaient leurs luttes, coudoyaient leurs destins. Il ne manque au peuple, disait Proudhon, que la parole. Ceux qui ont parlé pour lui ont ajouté beaucoup de prétentions scolaires ou politiques à la pensée inexprimée qu'ils avaient tâche de traduire : le peuple ne se fût point reconnu cependant dans leurs discours s'ils n'avaient capté quelques-unes de ses aspirations profondes sous un fatras de philosophie bourgeoise. A peine nées, et nées partiellement de lui, ces doctrines ont fait retour au peuple suivant les voies les moins rationnelles qui soient. Elles se sont de nouveau, après une courte carrière dans la pensée discursive, mêlées à la chair de ses souffrances, de ses instincts, de ses espoirs. Si nous pouvions pénétrer, sous la foi marxiste, au cœur même des consciences de ces millions d'hommes obscurs qu'elle anime, nous trouverions sans doute beaucoup de foi, beaucoup plus que chez les plus virulents des polémistes bourgeois, et très peu de marxisme, au sens de ces certitudes et de ces erreurs proprement dessinées, rigoureusement enchaînées qu'ont pour métier d'y voir penseurs, polémistes ou théologiens.

C'est à dégager ces intentions profondes et cette substructure humaine des doctrines que nous voudrions ici nous attacher sur l'exemple des doctrines anarchistes. Nous pensons bien montrer par le fait que rien ne répugne plus à une conciliation, à un certain manque de tenue intellectuel que ce désir de poursuivre la vérité et sa rigueur non seulement dans les rapports des idées entre elles, mais dans les rapports des idées aux hommes. Nous ne chercherons pas à démontrer au mouvement ouvrier qu'il est personnaliste malgré lui : polémique retournée, refus mué en confusion, tout cela serait tactique idéaliste, jeu dérisoire, avec des courants d'air d'idées et des fantômes d'engagements. Non. Nous chercherons sous l'incertitude des mots la solidité des significations; parfois nous trouverons les erreurs plus graves que leurs formules, les hommes plus audacieux, plus effrayants que leurs paroles; souvent aussi, dans un tout autre langage que le nôtre, nous reconnaîtrons des pressentiments prophétiques, des approximations émouvantes de la vérité humaine que nous travaillons à dégager. N'ayons pas alors le triomphe trop immodeste : « Le peuple, en ce qui touche la Justice, disait justement Proudhon, n'est point, à proprement parler, un disciple, encore bien moins un néophyte. L'idée est en lui : la seule initiation qu'il réclame, comme autrefois la plèbe romaine, est celle des formules. Qu'il ait foi à lui-même, c'est tout ce que nous lui demandons; puis, qu'il prenne connaissance des faits et des lois : notre ministère ne va pas au-delà. Nous sommes les moniteurs du peuple, non ses initiateurs [3]. » Qu'il y ait dans ces lignes trop de confiance messianique en la pensée spontanée des masses, soit. Mais prenons-en l'essence d'humilité. D'avoir labouré cette pensée ouvrière, la nôtre n'en changera pas les assises éternelles de toute pensée, mais elle se sera fait un chemin à travers la dure séparation des mots qui enferment les classes plus solidement que les intérêts, et l'esprit avec elles, qui n'a rien à faire dans ces prisons. Faute de ce travail, nos plus vivantes réflexions resteront, pour des millions d'hommes, des visiteurs endimanchés, venus de villes étrangères et dont on ne connaît pas les pensées de derrière.

Moins que toute autre, bien moins en tout cas que la pensée marxiste, la pensée anarchiste peut être détachée des hommes qui l'ont vécue, des intentions qu'elle a rejointes ou réveillées dans l'intérêt populaire. En regard de la littérature anarchiste, la littérature marxiste moyenne, même chez Marx, frappe par son caractère implacable, un peu

3. *De la Justice...*, Œuvres complètes, Rivière, I, 227. Nous désignerons désormais par le signe Œ. toute référence à cette édition de Proudhon.

pesamment scientifique, hargneuse dans l'attaque, maussade dans la défense, plus fanatique que fervente. Née dans la terre rêche du pédantisme scientifique et de l'Université allemande, elle semble être restée en bloc étrangère à la sensibilité du XIXe siècle, qui a si profondément imprégné le mouvement ouvrier occidental, et, à l'autre bout de l'Europe, les cercles de conspirateurs russes. Une odeur de bibliothèque, avec elle, descend sur les masses ouvrières; elle chasse de leurs livres et de leurs pamphlets le grand air des barricades où flottaient, parmi l'odeur un peu emphatique de la poudre, les chansons, la joie des rues, on ne sait quel espoir intact; elle en expulse le style sublime, l'imprécation, le pathétique qu'un Proudhon héritait des grands Conventionnels, ou ces appels directs, de l'âme à l'âme, que nous devons à toute une littérature ouvrière spontanée d'adresses, de plaidoyers, de pétitions, longue plainte virile qui s'affermit depuis les ouvriers chartistes jusqu'à Varlin : « Laissez-moi maintenant parler de moi-même, non dans le dessein d'assurer plus d'attention de votre part, mais afin de vous prouver que je ne parle pas d'après les « on dit », mais d'après mes propres souffrances. Et c'est pourquoi je dois être pardonné pour toute chaleur d'expression qui pourrait paraître toucher à la violence. Mon beau-père, qui vivait avec moi... » Voilà le style d'un tisserand chartiste en 1839 [4]. Chez Proudhon, chez Kropotkine, plus d'une fois on retrouvera cet accent dépouillé, cette grâce profonde qui en France s'est fait issue dans les journées révolutionnaires les plus sombres du siècle dernier, et dont les gestes du marxisme sont si dépourvus [5]. Il n'est pas un, d'ailleurs, des écrivains anarchistes qui ne soit un homme de passion et d'aventure : Proudhon, Diderot plus mâle que l'auteur du

4. Cité par E. Dolléans, *Histoire du mouvement ouvrier*, A. Colin, I, 36.

5. Relisant ces lignes après dix ans, nous y trouvons certes encore beaucoup de vérité psychologique, mais beaucoup d'injustice aussi pour cette maturité lucide et méthodique que le marxisme a apportée au mouvement ouvrier.

Paradoxe, qui donne un son romain à l'éloquence romantique et dispose son désordre comme des armées; Bakounine, qui dans ses délires d'adolescent mêle le messianisme ouvrier au messianisme russe, rêve de Saint-Empire prolétarien panslave, court l'Europe une torche à la main, passe huit ans dans les geôles du tsar, lui adresse cette étrange *Confession* de moujik repentant, dont les derniers jours de sa vie seuls peut-être livreront le secret, s'évade, vient mettre « le diable au corps » aux minutieux horlogers du Jura, mène avec Marx un gigantesque combat singulier et sombre, blessé à mort, déçu, pourchassé dans son agonie par de petites histoires de propriétaires mécontents; Kropotkine, le prince de haute lignée, qui, de l'école des pages et de l'entourage immédiat de l'empereur, arrive à la Révolution par la Sibérie, les explorations arctiques et la théorie des plissements montagneux; Élisée Reclus, le doux géographe bohème et évangélique. Enfin dans un tout autre registre, aux timbres apaisés celui-là, un homme comme James Guillaume, dont l'admirable histoire de la première Internationale [6] est un chef-d'œuvre de probité, de sérénité familière : il faudra aller jusqu'aux écrits intimes de Rosa Luxembourg pour retrouver, dans la littérature révolutionnaire, pareille fraîcheur honnête, pareille absence de ressentiment jusque dans la révolte.

Si la grande littérature anarchiste est marquée par un caractère aussi directement populaire, c'est sans doute qu'elle est partie d'un certain sens de l'homme que le marxisme a parfois rejoint, mais le plus souvent par des voies indirectes, et notamment par le détour d'une science bien bourgeoise qui depuis cent ans se construisait en dehors de l'homme. Ses auteurs, nous le verrons, ont abondamment sorbonnisé pour asseoir leur doctrine. Qu'on ne s'y trompe pas. Intellectuels ou prolétaires, ils ont cédé à l'ivresse de la science positive, en 1870, comme l'intellectuel et l'ouvrier russe,

6. James Guillaume, *Histoire de l'Internationale*, Documents et souvenirs (1864-1878), 4 vol., Paris, 1907.

cinquante ans plus tard, se sont grisés à l'ivresse de la machine. Mais leur impulsion est autre et plus profonde, plus religieuse que scientifique. C'est sur un autre plan que celui des idées pures que nous devrons dégager, avant de l'affronter à la nôtre, l'intention fondamentale de leur attitude de vie.

1. *Anarchie et anarchisme*

Quelques précisions et quelques évocations d'histoire d'abord.

Anarchie ne doit pas prêter à confusion. Au premier abord, le mot éveille trois idées : individualisme, négation totale, désordre. Les polémiques ont pesamment joué de ces associations. Or elles traduisent très infidèlement le visage commun de la pensée anarchisante telle qu'elle anima tous les débuts et une vivace tradition du mouvement ouvrier.

Contrairement à l'idée répandue, nous le préciserons plus loin, l'anarchisme ouvrier n'est pas une exaltation de l'individu, il répugne même à l'individualisme. Il serait tout à fait superflu d'évoquer ici le solipsisme nietzschéen de Stirner, si ce n'est pour rappeler précisément qu'il n'a pas mordu un instant sur la tradition ouvrière. La raison en est simple : la misère, l'effacement social donnent à ceux qu'ils maintiennent mineurs une tout autre psychologie que celle d'un homme « Unique » et puissant, — un sentiment déprimant au contraire d'impersonnalité et de déchéance. Quant à un certain anarchisme intellectuel qui communie à la révolution mondiale dans les demis de Montparnasse, le monde ouvrier a dit depuis longtemps son indifférence à ces jeunes bourgeois désaffectés.

Depuis l'infusion à l'anarchisme européen du nihilisme russe et le réveil, avec Tolstoï, des vieilles utopies champêtres, on a pu voir foisonner côte à côte un anarchisme idyllique et un anarchisme frénétique, ceux-ci moins excentriques que l'égoïsme stirnerien (qu'on se rappelle la vogue des phalanstères de tout acabit et celle des attentats), mais cependant bien extérieurs encore, au moins en France, à l'âme populaire, et qui n'y poussèrent pas des racines durables.

« Un homme d'esprit, écrit Plekhanov du premier [7], a dit que la profession de foi des anarchistes se réduit à ces deux articles d'une loi fantasque :

« 1° Il n'y aura rien.

« 2° Nul n'est chargé de l'exécution de l'article précédent. Ce n'est pas exact. Les anarchistes disent :

« 1° Il y aura tout.

« 2° Nul n'est chargé de penser à ce qu'il y ait quoi que ce soit. »

Il n'y a rien de plus à dire du premier de ces deux anarchismes, si ce n'est que Plekhanov y compromettait injustement tout le mouvement ouvrier non marxiste de son époque.

Le second, monté des fonds de l'âme russe, a fait son bréviaire du *Catéchisme d'un révolutionnaire* de Netchaiev (faussement attribué à Bakounine) : « Le révolutionnaire, dans la profondeur de son être, non seulement en paroles, mais de fait, a brisé tout lien avec l'ordre civil et avec le monde civilisé tout entier, avec les lois, les convenances, avec la moralité et les conventions généralement reconnues dans ce monde. Il en est l'ennemi implacable, et s'il continue à vivre dans ce monde, ce n'est que pour le détruire plus sûrement... — Rigide envers lui-même, il doit l'être aussi envers les autres. Tous les sentiments d'affection, les sentiments ramollissants de parenté, d'amitié, d'amour, de reconnaissance doivent être étouffés en lui par la passion unique et froide de l'œuvre révolutionnaire. Il n'existe pour lui qu'une seule jouissance, une seule consolation, une puissance et une satisfaction : le succès de la révolution. Nuit et jour il doit avoir une seule pensée, un seul but —

7. *Anarchie et socialisme*, p. 52.

la destruction implacable. Poursuivant ce but froidement et sans relâche, il doit être prêt à périr lui-même et à faire périr de ses propres mains tous ceux qui l'empêchent d'atteindre ce but. »

L'âpre souffle de mort qui traverse ces lignes glaça longtemps les os du bourgeois français. Que Dieu n'a-t-il voulu qu'il en acquît quelque effroi du néant, de son néant, et par là quelque goût de l'Infini. Mais ces proclamations d'épouvante n'ont jamais déclenché que des peurs de boutiquiers, et le néant n'a fait finalement la fortune que d'un petit cabaret montmartrois.

Nous ne voulons pas dire que cette provocation au néant, cette agressivité passionnée contre Dieu et contre tout ce qui reste en chaque homme d'amour chrétien ne soit pas le postulat dernier de toute attitude anarchiste conséquente. Il serait bien maladroit, pour des spiritualistes, de chercher à l'en défendre. Cet absolu défi, si lamentablement absent d'un certain socialisme scientifique et petit-bourgeois, hausse l'anarchie au sublime, et point uniquement toujours à celui qu'elle croit viser, s'il est vrai qu'une certaine manière de nier Dieu et le monde peut n'être qu'une conscience tragique de leur appel. Mais ces abîmes aux frontières de l'anarchie ne sont pas de fréquentation quotidienne dans les masses, ni même chez les penseurs qui ont essayé de dégager un certain esprit anarchisant au sein du monde ouvrier [8]. Ceux-ci insistent au contraire, après Proudhon, sur le caractère *positif* de l'idée anarchiste. Ce n'est pas notre faute, plaignent-ils, si nous ne disposons que d'un terme négatif pour dire ce que nous voulons dire. On sait que Proudhon, pendant quelque temps, pour neutraliser l'effet déplorable du mot, mit un tiret entre *an* et *archie*, jusqu'à ce que devant la mauvaise foi de ses adversaires il y renonçât, « pour ne pas donner de besogne inutile aux correcteurs ni de leçon de grec à ses lecteurs ». Ses successeurs évitèrent longtemps de lui emprunter la formule dangereuse,

8. « Une exagération extravagante de nos principes », dit Kropotkine du mouvement nihiliste russe (*Autour d'une vie*, p. 413).

et dirent collectivisme, fédéralisme, puis communisme libertaire, parti antiautoritaire ou antiétatiste (qu'on remarque l'intention bien peu « individualiste » de ces dénominations). Mais la polémique la leur imposa.

Pour retrouver, de l'inspiration anarchiste, ce qui a germé et pris racine dans l'histoire, nous devrons donc oublier les images qui s'offrent le plus communément à l'opinion quand ce mot est prononcé. Ce n'est pas dans quelques cénacles provocants, ou chez de malheureux hors-la-loi, que nous irons le chercher, encore moins dans ces bas courants qui, à la suite d'Armand et de Sébastien Faure, n'ont retenu de l'anarchie qu'une exaspération aussi puérile que morbide de la sexualité. Toutes ces extravagances relèvent de la pathologie, et c'est gaspiller bien du sérieux que de l'employer à les discuter. Épigones de l'extrême misère, d'organismes délabrés, voire de la décomposition bourgeoise, elles n'ont jamais reçu la sanction de la sagesse populaire. On est frappé d'ailleurs, à la lecture des grands classiques de l'anarchisme : Proudhon, Bakounine, Kropotkine, Guillaume, de leur ton tellement étranger au pittoresque tragique de ce tumulte décadent qui a fixé, dans la conscience du grand public, les traits de l'anarchie. Bien plus importante que ces remous est la tradition fécondée en pleine terre ouvrière par l'idée anarchiste qui, nous le verrons, dépouillée de ses aberrations, n'est pas sans nouer plus d'une parenté avec l'idée personnaliste. Ses théoriciens ont conscience de cette fécondation : Kropotkine croit que seul le bon sens des horlogers jurassiens lui a épargné les dangers de l'utopie. L'anarchie d'Épinal semble bien morte aujourd'hui. Morte dans l'action, morte dans la doctrine. Cependant un certain courant anarchisant, qui a mûri dans l'expérience ouvrière, reste vivace dans le monde entier. Assoupi depuis un certain nombre d'années, il se cabre dès qu'il se sent provoqué. Je n'hésiterai pas à dire que pour nous personnalistes il est un des espoirs sur lequel nous misons pour l'avenir et le développement de ce mouvement. Il a formé et inspire encore le meilleur de l'esprit syndical, l'opposition à l'impérialisme ouvrier et au fascisme prolétarien, il est le plus apte à recevoir, mieux, à découvrir de lui-même l'idée personnaliste. On voit l'intérêt primordial qui nous pousse aujourd'hui à prendre notre référence en toute clarté à ses doctrines et, si l'on veut bien entendre ces formules avec un son d'égalité fraternelle, à lui montrer les impasses où il se perd, les chemins où il se libérera.

1866. La protestation anarchiste de Godwin, sous la Convention, semble tout autant oubliée que la poussée communiste de Babeuf, avortée comme elle. Mais Proudhon est bien vivant, tandis que le communalisme de Fourier fait contrepoids au communisme autoritaire de Cabet. Proudhon et Fourier sont soutenus par une tradition ouvrière d'organisation spontanée qui remonte aux premières Trade-Unions anglaises, à l'esprit de Robert Owen : l'organisation ouvrière est vraiment née par foisonnement, non par épure et système. Elle gardera longtemps l'esprit de ses origines. D'une rencontre, à Londres, entre mutuellistes proudhoniens français et trade-unionistes anglais vient de naître la première Association internationale de travailleurs. Marx et Engels sont dans les coulisses. Leur rôle dans la constitution de cette première Internationale, l'énergie qu'ils dépensent à en assurer les premiers pas, ne font pas de doute [9], Bakounine leur a rendu un hommage public. Mais leur dévouement n'est pas simple. Doctrinaires, leur passion ne va pas directement aux hommes et à leur misère, elle traverse leur système et souvent s'y attarde [10]. Tout idéologue (en ce sens) est un autoritaire. « Nous avons la science absolue de l'histoire. Nous forcerons donc les hommes bon gré mal gré dans l'histoire telle que nous la concevons. » Et ils ont la cons-

9. Remarque pour les gens pressés : *Le Manifeste communiste*, est de 1848. La première Internationale se fonde en 1862, quatorze ans après...

10. « Ni les questions politiques, ni le mouvement ouvrier, ni l'intérêt de la Révolution, rien ne passe jamais pour Marx qu'après le souci de sa propre personne. » Otto Ruhle, *Karl Marx*, p. 321.

cience tranquille, puisque, dans leur système, c'est l'histoire qui force les hommes et non pas leur propre fantaisie. L'absolutisme, enfin, entraîne infailliblement l'appareil policier; intrigues, truquages de textes, agents secrets, infiltrations, mouchardages, les tactiques de Congrès sont déjà au point.

Marx veut s'emparer du Conseil général de l'Internationale, et, par lui, imposer ses directions à l'ensemble du mouvement. La résistance s'organise dans cette même Suisse romande où se sont tenus les premiers Congrès [11]. Les « personnalistes » du mouvement ouvrier d'alors fondent l'Alliance de la Démocratie socialiste, qui demande son adhésion à l'Internationale et se la voit refuser. Ils proposent eux-mêmes de renoncer à leur caractère international tout en maintenant leurs sections avec leur esprit et leur programme propre. Le Conseil général accepte.

Mais vient la guerre de 1870. On ne dira jamais assez l'influence qu'eut la victoire de l'Allemagne sur les destins du mouvement ouvrier. Georges Sorel voyait la première cause de l'impérialisme prolétarien dans la longue habitude à la soumission et à l'autoritarisme que les guerres de l'Empire incorporèrent au peuple français [12]. La victoire de 1871 assura plus fermement sur l'Europe réelle l'hégémonie du marxisme autoritaire que celle du militarisme prussien sur l'Europe apparente. Dès le premier mois de la guerre, en 1870, Marx écrit au Comité de Brunswick-Wolfenbüttel : « Cette guerre a transféré le centre du mouvement ouvrier de France en Allemagne. » Dans le manifeste (de sa main) envoyé le 9 septembre à tous les membres de l'Internationale, il retient les ouvriers français de « se laisser entraîner par les souvenirs de 1792 », de confondre défense

11. On lira le récit vivant de toute cette histoire des débuts de l'Internationale dans les quatre beaux volumes de Guillaume, plus haut cités. Le Conseil général l'examine de son point de vue dans la circulaire privée sur *Les prétendues scissions de l'Internationale*, publiée à Genève en 1872, et de la main de Marx, et la brochure sur *L'Alliance de la Démocratie socialiste*, Londres et Hambourg, 1873. Ce sont deux monuments de polémique hargneuse.

12. Préface à Pelloutier, *Histoire des bourses du travail.*

nationale et révolution. A la fin du même mois, ayant assisté en effet à l'échec du soulèvement révolutionnaire de Lyon, Bakounine écrit à son ami Palix ces lignes prophétiques, quand on pense à ce que devint le socialisme national allemand après 1930 : « Je commence à penser maintenant que c'en est fait de la France... Elle deviendra une vice-royauté de l'Allemagne. *A la place de son socialisme, vivant et réel, nous aurons le socialisme doctrinaire des Allemands*, qui ne diront plus que ce que les baïonnettes prussiennes leur permettront de dire. L'intelligence bureaucratique et militaire de la Prusse, unie au Knout du tsar de Saint-Pétersbourg vont assurer la tranquillité et l'ordre public, au moins pour cinquante ans, sur tout le continent de l'Europe. Adieu la liberté, adieu le socialisme, la justice pour le peuple et le triomphe de l'humanité. » Bakounine avait choisi pour titre à son principal ouvrage : « L'Empire Knouto-germanique. » Un an plus tard, Andrée Léo constatera que ce sont les Allemands qui, dans l'Internationale, envahissent les Conseils, et font de la fausse unité, de la centralisation despotique, tandis que les latins résistent. « Est-ce donc M. de Bismarck, s'écrie-t-elle, qui règne au Conseil de Londres? » (Le Conseil général est alors à Londres.) Et elle ajoute : « En même temps que Guillaume Ier se faisait empereur, Karl Marx se sacrait pontife de l'Association internationale. » Certes, des forces historiques plus puissantes que les conspirations des hommes jouaient en tout cela. Guillaume [13] a très bien vu qu'en France le centralisme avait fait son temps, tandis que les socialistes allemands, dans une Allemagne encore embarrassée de féodalité, aspiraient à un État fortement centralisé comme à une libération. L'Allemagne révolutionnaire, écrivait-il dans le *Bulletin de la Fédération*, fait sa crise jacobine : « Nos idées sont séparées des leurs par un siècle presque entier. » Singulière lucidité, qui distinguait dans le socialisme allemand naissant l'impulsion, il faut peut-être dire la nécessité historique, qui cinquante ans plus

13. Dans l'ouvrage duquel (II, 89, 98, 100, 219, 302, 313; III, 76, 279) on trouvera toutes les références citées.

tard le précipiterait dans l'État national-socialiste, comme il l'eût précipité dans un césarisme prolétarien, si Versailles n'était venu peser contre l'Internationale dans la balance de l'histoire.

Immédiatement après 1870, le combat, qui avait traîné jusqu'alors, se précipite. La Fédération romande se casse en deux : les autoritaires — ceux du Temple-Unique — et les antiautoritaires. Désavoués par le Conseil général, ces derniers créent, en novembre 1871, la fameuse *Fédération jurassienne* qui va bientôt polariser autour d'elle — pour un temps — toute l'Internationale. Ils font appel auprès de tous les Internationaux de la politique autoritaire du Conseil général, qui tâche d'ajourner les Congrès pour maintenir son pouvoir. Marx dicte au Conseil ses réponses, ses pamphlets contre la Fédération rebelle. Il sent l'Internationale lui glisser entre les doigts : l'Espagne, l'Italie se solidarisent avec les Suisses. Il reconnaît bien que l'anarchie, au sens de résistance à toute oppression, est l'inspiration centrale du mouvement ouvrier, mais il feint de croire que les Jurassiens refusent toute organisation. Depuis quelque temps Bakounine, parmi ses amis suisses, est entré dans le jeu. Le combat devient un combat singulier : Marx n'a plus seulement devant lui des rebelles, mais un concurrent direct, une tête moins solide sans doute que la sienne, mais une combativité à toute épreuve et une puissance prophétique. Dès lors il trépigne contre « la section russe » de Genève, ne craint pas de déshonorer Bakounine en le présentant comme un agent du tsar. La Fédération jurassienne, lasse des intrigues, provoque un combat à découvert en proposant au Congrès de l'Internationale à La Haye, en 1872, « l'abolition du Conseil général et la suppression de toute autorité dans l'Internationale ». Marx s'assure au Congrès une majorité artificielle, accuse les fédéralistes, sans en croire un mot, de constitution de Ligue secrète, fait expulser Bakounine et Guillaume. Heureuse race d'hommes libres : Guillaume, sortant du Congrès, descend dans les rues respirer la joie d'être honnête, s'arrête à regarder les servantes hollandaises qui lavent les façades à grande eau avec de petites pompes, goûte « du poisson fumé, avec un verre de la bière plate et fade que boivent les ouvriers du pays », et le soir, dans une de ces salles boisées, opulentes et sombres, où se réunissent les guildes locales, les victimes de l'ostracisme peuvent avec une calme assurance, une fraternité de petite banlieue, s'émerveiller aux mélopées des camarades russes et s'échauffer aux séguedilles des Espagnols, pendant que quelque part les comités majoritaires comptent les points et préparent de nouvelles manœuvres.

A peine revenus de La Haye, les Jurassiens se réunissent en Congrès à Saint-Imier. Ils dénient à la majorité d'un Congrès le droit d'imposer, dans aucun cas, sa volonté à la minorité. Ils décident d'entretenir des rapports permanents avec toutes les Fédérations minoritaires. Le Conseil général envoie un ultimatum de quarante jours aux Congressistes de Saint-Imier pour se soumettre. Mais pendant ce temps la Belgique, l'Espagne, l'Angleterre gagnent le camp des rebelles. En janvier 1873, le Conseil général prononce la suspension de la Fédération jurassienne, puis, Marx, trouvant la mesure insuffisante, expulse toutes les Fédérations rebelles auxquelles se sont jointes plusieurs autres : Hollande, États-Unis, Italie. Jules Guesde lui-même va se dire anticentraliste! Les Fédérations antiautoritaires sont devenues si nombreuses qu'à son Congrès annuel, en 1873, la Fédération jurassienne peut déclarer que le seul congrès valable de l'Internationale est désormais celui qui sera convoqué par les Fédérations réunies, et non par le Conseil général. Celui-ci cependant convoque un Congrès à Genève, en septembre 1873. Les Fédérations autonomes décident de tenir, au même siège, un Congrès séparé sous le nom de « Sixième Congrès général de l'Internationale ». Le Congrès fédéraliste reconnaît comme seul lien entre les travailleurs leur solidarité économique, chaque fédération restant libre de suivre la politique de son choix. Il vote l'abolition du Conseil général, et de nouveaux statuts à l'Internationale. Le Congrès centraliste ne réunit à grands frais que neuf délégués, et se voit désavoué par le secrétaire lui-même de l'Internationale.

La victoire de la tendance antiautoritaire semble dès lors acquise. Au VIIe Congrès, à Bruxelles, en 1874, la majorité se fait aisément contre l'État ouvrier et centralisateur. Le mouvement ouvrier garde encore, au-delà de 1871, l'impulsion de ses origines. Mais la victoire allemande commence à jouer. Aux antiautoritaires, depuis que la réaction versaillaise a rayé provisoirement le mouvement ouvrier français de la carte de l'Internationale, il manque l'assise d'un grand pays. Il va bientôt leur manquer un grand animateur : Bakounine, blessé à mort, disparaît en 1877. La première Internationale est morte entre les mains de Marx. La seconde et la troisième lui donneront sa revanche. Sauf en Espagne, où il est resté vivace et constructif, le courant « anarchiste » est peu à peu refoulé de la social-démocratie; de plus en plus parlementaire, celle-ci sclérose le mouvement ouvrier et le conduit à la mort dans le somptueux appareil des grandes masses nationales et étatistes. Le ferment anarchiste se réfugie dans l'effervescence de base et dans le noyau de résistance que le syndicalisme oppose à l'étatisme politique. Quatre ans de guerre devaient enlever une nouvelle fois aux peuples le goût de la liberté. Il n'est pas étonnant qu'épuisés, vidés de tout ressort par une militarisation des esprits sans précédent, ils se soient jetés pour la plupart dans le sens où la social-démocratie les poussait depuis de longues années : centralisme, étatisme, nationalisme et dictature. Allemagne, Italie ou U. R. S. S. sur ce point ont suivi la même ligne d'histoire, si fondamentales soient par ailleurs leurs différences : elle leur a été commandée par les suites et la préparation de la guerre.

Le problème qui se pose à nous est déjà vivement éclairé par ce rayon d'histoire. Il est angoissant. Dans les pays qui résistent encore, les mouvements ouvriers vont-ils continuer à confondre aveuglément le destin du prolétariat avec un impérialisme qui, même dirigé par des hommes sortis de leurs rangs, ne sera qu'une nouvelle forme d'oppression, la plus cruelle sans doute? Vont-ils, par une réaction insuffisamment élaborée, se rejeter vers un anarchisme primitif, et un révolutionnarisme exaspéré, rejetant la maturation politique indiscutable que leur a donnée l'apport marxiste et la tactique communiste, quelque réserve qu'on puisse faire à leur sujet? Il est temps que le mouvement ouvrier, spécialement en France où une telle poussée de liberté remonte de son passé, prenne conscience de ses ennemis du dedans. Si nos formules lui apparaissent encore un peu étrangères, ces pages sont pour lui rappeler qu'il peut trouver dans sa tradition même les amorces de son redressement. La classe ouvrière profitera-t-elle de ce moment fragile de l'histoire pour comprendre que certains esprits libéraux, certains chrétiens, dont elle se croyait l'adversaire d'instinct, lui apportent une fraternité plus désintéressée que des hommes dont un certain goût de la puissance est le ressort principal? Au moins ferons-nous l'impossible pour que cette prise de conscience perce les préjugés et réveille des traditions assoupies.

Voyons quelles prises un personnalisme ouvrier pourrait s'assurer dans ces premières traditions, et quel romantisme aussi dangereux que puéril il doit en éliminer.

2. *Autorité et pouvoir*

Deux textes nous définiront bien ce qu'entendaient par ces mots les théoriciens de l'anarchie *positive*.

L'un, de Bakounine, sur ce qu'elle rejette : « En un mot, nous repoussons toute législation, toute autorité et toute influence privilégiée, patentée, officielle et légale, même sortie du suffrage universel, convaincus qu'elle ne pourrait tourner jamais qu'au profit d'une minorité dominante et exploitante, contre les intérêts de l'immense majorité asservie. Voilà en quel sens nous sommes anarchistes [14]. »

14. *Dieu et l'État*, Œuvres complètes, Stock, I, 34. Les références de Bakounine se rapportent toutes à cette édition que nous désignerons par le signe B.

L'autre de Kropotkine, sur ce qu'elle désire : « Nous nous représentons une société dans laquelle les relations entre membres sont réglées, non plus par des lois — héritage d'un passé d'oppression et de barbarie — non plus par des autorités quelconques, qu'elles soient élues ou qu'elles tiennent leur pouvoir par droit d'héritage — mais par des engagements mutuels, librement consentis et toujours révocables, ainsi que par des coutumes et usages, aussi librement agréés. Ces coutumes, cependant, ne doivent pas être pétrifiées et cristallisées par la loi ou par la superstition, elles doivent être en développement continuel, s'ajustant aux besoins nouveaux, au progrès du savoir et des inventions, et aux développements d'un idéal social de plus en plus rationnel et de plus en plus élevé.

« Ainsi — point d'autorité, qui impose aux autres sa volonté. Point de gouvernement de l'homme par l'homme. Point d'immobilité de la vie : une évolution continuelle, tantôt plus rapide, tantôt ralentie, comme dans la vie de la Nature. Liberté d'action laissée à l'individu pour le développement de toutes ses capacités naturelles, *de son individualité* — de ce qu'il peut avoir d'original, de personnel. Autrement dit — point d'actions *imposées* à l'individu sous menace d'une punition sociale, quelle qu'elle soit, ou d'une peine surnaturelle, mystique : la société ne demande rien à l'individu qu'il n'ait librement consenti en ce moment même à accomplir. Avec cela — égalité complète de tous pour tous [15]. »

Sans diminuer la rigueur et la nouveauté de ces revendications, Proudhon tenait à souligner que « l'anarchie figure pour plus des trois quarts dans la constitution de la société, puisque l'on doit comprendre, sous ce nom, tous les faits qui relèvent exclusivement de l'initiative individuelle [16] ».

Le point critique de la pensée anarchiste est donc son attaque de l'*autorité* ou du *pouvoir*. Notons qu'elle identifie les deux notions l'une à l'autre. « L'Autorité est le gouverne-

15. *La Science moderne et l'Anarchie*, Stock, p. 55.
16 *Le Principe fédératif*, Dentu, 3e p., ch. III.

ment dans son principe et le gouvernement est l'Autorité en exercice [17]. » C'est à ce nœud que toute la critique anarchisante est suspendue.

RÉVOLTES

Nous ne nous attarderons pas aux différences psychologiques, souvent profondes, par où les tempéraments nationaux diversifient l'attaque. Ce mélange de paradoxysme fanatique et de tendresse, qui donne une âme si brûlante à l'anarchisme espagnol, est autre chose que la passion massive de puissance et d'isolement qui emporte la révolte allemande, autre encore que l'anarchisme frondeur, un peu bon enfant, un peu bohème des Français, ou que la froide détermination du nihilisme russe. L'un est feu, l'autre est force, l'autre grand air, l'autre néant aux yeux clairs. Il faudrait dessiner séparément la psychologie de cet anarchisme qui fait explosion après un trop long ou trop visible esclavage et qui se nourrit surtout de ressentiment, de l'anarchisme solennel et métaphysique, de celui qui est fièvre de vie, instabilité anxieuse, et de celui qui a sans doute les plus vieilles complicités de race et de religion dans les pays d'Occident, que je ne saurais mieux définir si ce n'est comme un sens poétique de la libéralité du monde, — celui qui entraîne le Quichotte à libérer une troupe de prisonniers parce qu'on les emmène où ils n'aiment pas aller, celui qui fermente, généreux, gouailleur, astucieux et débrouillard, dans le bas peuple français, là où il reste vivant et frondeur.

Mais le pittoresque nous entraînerait bien vite hors de l'essentiel. Nous nous attacherons bien plutôt à saisir, sous ces arabesques de vie, le courant métaphysique central qui les relie finalement à une même attitude devant le destin de l'homme.

« Métaphysique » peut paraître un peu gros. Les polémistes de l'anarchie sont souvent moins philosophes qu'ils ne s'en donnent l'air, ils font au surplus de la bien mauvaise

17. *Idée générale de la Révolution*, Œ., p. 181.

philosophie. Et cependant, auprès de certains marxistes et de leur sérieux scientifique, ces diables d'hommes sont des inspirés : les problèmes moraux et religieux les fascinent, leurs thèses les brûlent, leurs combats les consument. Pendant que les sociaux-démocrates finissent leur carrière parlementaire par un grand enterrement de masses, ils crachent leurs poumons dans les stations suisses ou meurent solitaires au bord des lacs lombards. Moralistes, ils sont toujours plus que doctrinaires : c'est ce qui laisse souvent passer dans leurs analyses tant de vérité humaine à travers les élucubrations idéologiques les plus extravagantes. Mais, même quand ils font de la critique morale et politique, ils la font au défi, et aiment à la zébrer d'éclairs jaillis de leurs combats titanesques avec le ciel.

LES TITANS A L'ASSAUT

Car c'est à Dieu même qu'ils vont en combat singulier demander justice pour l'oppression qu'ils sentent peser, sur les hommes, de toutes les autorités de la terre. *Omnis potestas a Deo*, proclame la tradition chrétienne. C'est bien la source de tous nos malheurs, riposte Bakounine : « Toute autorité temporelle ou humaine procède directement de l'autorité spirituelle ou divine. Mais l'autorité c'est la négation de la liberté. Dieu, ou plutôt la fiction de Dieu, est donc la consécration et la cause intellectuelle et morale de tout esclavage sur la terre, et la liberté des hommes ne sera complète que lorsqu'elle aura complètement anéanti la fiction néfaste d'un maître céleste [18]. » Ce n'est pas tant à Dieu comme idée, comme mystification de l'esprit qu'ils en ont. Leur offensive contre Dieu n'est pas essentiellement, comme celle du marxisme, une démarche scientifique, une négation, elle est une révolte d'hommes, une insubordination. Si Dieu était démontré par l'économie politique, on peut penser qu'un bon marxiste s'y ferait à la longue, quitte à écrire une thèse sur l'infrastructure de la Trinité. Le duel n'en serait que plus

18. *Dieu et l'État*, B., I, 283.

féroce pour Bakounine : « *Si Dieu existait réellement, il faudrait le faire disparaître*[19]. »

Le rapport de Dieu à l'homme, dans le schéma que les anarchistes prêtent au christianisme, va nous livrer l'essence mortelle de l'autorité. Feuerbach est tout proche. L'état de *subordination*, où ils dénoncent le rapport religieux élémentaire[20], Proudhon et Bakounine le ramènent, eux aussi, à une aliénation. Le fondement de toute religion, dit le premier, est le même que celui de la tyrannie, c'est « la déchéance de la Personnalité au nom de la société[21] ». L'analyse de Bakounine est restée la plus fréquemment démarquée dans la littérature anarchiste. Quelle est l'essence de la religion? « L'appauvrissement, l'anéantissement et l'asservissement systématiques, absolus, de l'humanité au profit de la divinité[22]. » Quelle est la genèse de cette usurpation? En comprendre le processus sera le seul moyen d'y parer.

Dieu est la condensation abstraite de l'idée d'univers spirituel. La question revient donc à se demander : comment, dans un univers purement matériel (c'est le postulat), l'idée d'un monde purement spirituel a-t-elle pu naître? L'homme, animalement, instinctivement, se sent comme individu passager en situation d'absolue dépendance vis-à-vis de l'éternelle et omnipotente nature : voilà l'étoffe du sentiment religieux. Il est déjà virtuellement présent dans l'animal, mais seul l'homme a conscience de sa religion. Sa première réflexion porte sur cette dépendance de sa nature, sa crainte l'agrandit jusqu'à la démesure, sa faculté d'abstraction, affolée par ce fantasme, l'hypostasie de manières diverses : Dieu est né, il n'y a plus qu'à l'organiser. L'imagination

19. *Empire Knouto-Germanique*, B., III, 48.
20. Proudhon allait jusqu'à proposer de *re-ligio* une nouvelle étymologie : *lig.*, avant de signifier par déviation *lier*, signifierait d'abord : inclinaison du corps, révérence, courbette, génuflexion. (*De la Justice...*, I, Œ. 356.)
21. *Justice*, I, Œ., 299.
22. *Fédéralisme, socialisme, antithéologisme*, B., I, 62. Cf. des formules analogues dans Feuerbach, *Essence du christianisme*, p. 23-24, qui est certainement la source la plus directe de cette attitude.

et la raison s'entraînent alors l'une l'autre : comme les enfants, l'adulte développe son rêve au-delà de toute limite ; dès qu'il se découvre une force ou une qualité, il la lui attribue, et en dépossède son humanité ; sa raison en même temps, d'abstraction en abstraction, le conduit à l'abstraction suprême : « Un seul mot, une seule abstraction : *l'Être indéterminé*, c'est-à-dire l'immobilité, le vide, le néant absolu — Dieu [23]. » Dieu « Léviathan », Néant absolu et Pouvoir absolu, « abstractum absolu » et « spoliateur absolu », écrasant un homme dépouillé de toute humanité, abêti à force de se nier et de se soumettre, et contraint, puisqu'il n'est plus rien par lui-même, d'abdiquer une obéissance, illimitée et passive entre les mains des représentants autorisés du Dieu potentat : l'Église et l'État. Ceux-ci utilisent pour la domination des masses, un mirage auquel ils ne croient plus : église et cabaret, les peuples oublient leur servitude dans ces cabinets du fantastique. Si l'idée religieuse résiste même chez des penseurs honnêtes et indiscutés, il faut en attribuer la vivacité à ce sentiment animal de dépendance qui l'enracine dans notre chair même : seule peut nous en délivrer une science pleinement positive, montrant l'existence de Dieu incompatible avec l'universelle immanence des lois dans le mouvement sans commencement, sans limites et sans fin de la nature, qu'on ne saurait totaliser ou centraliser dans une volonté. En attendant, l'opposition est irréductible, de par la faute même des spiritualistes, entre Dieu et l'homme : « En divinisant les choses humaines, les idéalistes aboutissent toujours au triomphe d'un matérialisme brutal. Et cela pour une raison très simple : le divin s'évapore et monte vers sa patrie, le ciel, et le brutal reste seul réellement sur la terre [24]. » Il ne reste plus alors qu'à opter entre deux positions :

« Dieu est, donc l'homme est esclave.

« L'homme est intelligent, juste, libre, — donc Dieu n'existe pas.

23. *Fédéralisme...*, B., I, 97 s.; *Empire Knouto-Germanique*, B., III, 40 s., 301 s.
24 *Empire...*, B., III, 66.

« Nous défions qui que ce soit de sortir de ce cercle, et maintenant qu'on choisisse [25]. » — « Un chrétien n'est pas un homme, dans ce sens qu'il n'a pas la conscience de l'humanité, et que, ne respectant pas la dignité humaine en soi-même, il ne peut la respecter en autrui [26]. »

Le théologien chrétien discernera peut-être dans cette révolte un écho du *Non serviam*, un refus plus fondamental que les raisons, et qui s'obscurcit de raisons pour se masquer une décision radicale de la volonté. Mais ce n'est pas ici notre affaire. Nous avons à nous placer seulement en face d'un appareil rationnel, et des conséquences pratiques qu'on y rattache. Or, à prendre les choses en cet état, il est bien certain que si elle était la conception que le christianisme se faisait des rapports de l'homme à Dieu et de l'autorité divine sur les personnes, la première démarche de tout humanisme devrait être en effet de l'abolir.

LA DIALECTIQUE MALHEUREUSE DU POUVOIR

Nous en dirions autant de la représentation que l'anarchisme se donne du pouvoir politique.

Proudhon même, au moment de sa critique anarchiste la plus radicale, reconnaît l'existence d'un ordre naturel où le pouvoir a sa place [27]. Mais ce pouvoir naturel n'est pas séparé

25. *Fédéralisme...*, B., I, 64.
26. *Dieu et l'État*, B., I, 280.
27. La *Célébration du dimanche* (Œ., 61), un de ses premiers écrits, affirme déjà la volonté de dégager « un état d'égalité sociale qui ne soit, ni communauté ni despotisme, ni morcellement, ni anarchie, mais liberté dans l'ordre et indépendance dans l'unité ». L'*Idée générale...* condamne « l'État » au même sens où le *Mémoire* condamne « la propriété »; on dirait volontiers que Proudhon condamne la plus-value étatique, non l'exercice naturel de l'ordre. Dans la *Révolution sociale*, il présente « l'anarchie » comme un idéal, c'est-à-dire comme une direction d'action, plutôt que comme une réalisation à effectuer, un mouvement vers une « simplification générale de l'appareil politique » (135), une résistance au centralisme jacobin (89 s.) et à l'arbitraire d'État (276). La *Capacité politique...* (199 s.) affirme enfin qu'elle n'est pas incompatible avec l'ordre et l'unité, mais entre avec eux en composition dans un effort de synthèse.

de la société, c'est-à-dire de la collectivité vivante et spontanée des hommes, il fait corps avec elle, il lui reste immanent, subordonné qu'il se trouve à toutes les forces collectives dont il est la résultante. Vienne une conception qui soutienne « que l'âme humaine vide et ténébreuse, sans autre moralité que celle de l'égoïsme, est incapable par elle-même de s'élever à la loi qui régit la société » : on requerra pour l'y incorporer, un pouvoir brutal d'assimilation.

Il n'a pas échappé à Proudhon, on le voit, que tout autoritarisme est lié à une conception pessimiste de l'homme. Il ne fait pas de distinction sur ce point entre le christianisme et le communisme autoritaire, entre l'Église et l'État, constituants indivisibles du gouvernement : leurs dogmes solidaires sont la perversion originelle de la nature humaine, l'inégalité essentielle des conditions, la perpétuité de l'antagonisme et de la guerre, la fatalité de la misère. D'où se déduit, pour le salut d'une humanité aussi impuissante, la nécessité du gouvernement, de l'obéissance, de la résignation et de la foi. « Pour dire toute notre pensée, nous regardons les institutions politiques et judiciaires comme la forme exotérique et concrète du mythe de la chute, du mystère de la Rédemption et du sacrement de pénitence [28]. » On protestera que l'Église catholique (la seule, selon les anarchistes, qui ait avoué sans biaiser le lien du théisme à l'absolutisme) a toujours condamné une conception de la chute où la nature humaine serait radicalement souillée et désarmée? Hélas, l'humeur janséniste est tenace ; fumant aujourd'hui encore à travers tant de sermons, elle n'avait cessé, au cours du XIXe siècle, d'encrasser une importante littérature apologétique. Le romantisme ne faisait que l'échauffer : plus les uns poussaient au lyrisme, plus les autres sombraient au

28. *Résistance à la révolution*, Mélanges de la « Voix du Peuple », en annexe à *Idée générale*, Œ., 374. Cf. encore *Idée générale*, Œ., 298; *Justice*, I, Œ., 302, 317. Bakounine reprend le même thème : « Tout État — et ceci constitue son trait caractéristique et fondamental, — tout État, comme toute théologie, suppose l'homme essentiellement méchant et mauvais. » *Fédéralisme*, B., I, 198.

chagrin [29]. La réaction contre les mythes individualistes de 1789, de son côté, donnait à la théocratie un renouveau de vigueur : la théologie morale de Taparelli, qui faisait alors modèle, en est tout encombrée dans ses envolées, et non de la moins passionnée! Tout cela donnait aux affirmations chrétiennes sur l'homme et le pouvoir un accent, sinon un sens, propre à favoriser les contresens proudhoniens.

Que résulte de ces données? Cette force collective que l'homme déchu ne peut soutenir ou créer, cette cohésion du corps social, on la cherchera hors et au-dessus de l'homme, dans une aliénation de l'indépendance de chacun et de la force collective totale de la société au profit d'un pouvoir personnel qui se sépare d'elle, se ramasse sur un individu ou sur une caste, et opprime du dehors le reste des hommes. Au « système de la prérogative personnelle ou du DROIT » se substitue alors le « système de la déchéance personnelle ou du NON-DROIT [30] », au règne du *droit* le règne du *pouvoir*, à l'anarchie, l'autorité. Le pouvoir ne naît plus de la société et pour la société, il la crée, il la tient à son bon plaisir. Et on sait ce que parler veut dire : « Le pouvoir est par nature étranger au droit : c'est de la force [31]. » Impérialiste à l'extérieur, tyrannique à l'intérieur par sa pente même.

Le mérite de la littérature anarchiste est de nous avoir laissé, jointes à cette vision cosmique de la genèse du pouvoir, de pénétrantes informations sur cette lourdeur fatale qui l'entraîne à l'oppression et sur cette vertu corrosive qu'il porte dans le cœur même de ses privilégiés.

Côté gouvernés, le pouvoir abêtit, dans toute la mesure où il établit un clivage entre des éléments actifs et des indi-

29. Proudhon, il est vrai, au moins une fois, connut de fort près l'exacte doctrine catholique sur le péché originel. Il la donne en appendice à son chapitre de *Justice*, afin qu'on ne le croie pas ignare ou de mauvaise foi. Mais, inconscience ou passion, il ne tire de ce correctif aucune revision de ses conclusions acquises.

30. *Justice*, I, Œ., 395.

31. *Ibid.*, I, Œ., 263.

vidus à peu près passifs, dont l'obéissance devient simple exécution mécanique. Les partis renoncent à juger et s'en rapportent aux comités ; bientôt les hommes mêmes renoncent à leur humanité. Proudhon n'a cessé, contre les optimistes de la révolution, de dénoncer ce danger : les hommes qui ont le plus besoin de liberté en raison de leur détresse sont ceux mêmes qui, en raison de leur ignorance et de leur lassitude, aspirent aux formes sommaires de l'autorité. C'est le peuple, quand il est bien avili, qui réclame le tyran. C'est en ce sens qu'Alain a pu dire : la résistance au pouvoir rend bon. Elle est aussi un signe de santé. Mais il est un niveau au-dessous duquel elle ne trouve plus de ressort. Voulant rendre sensible au tsar, dans sa *Confession*, le désespoir du paysan russe, Bakounine lui détaille l'échelle d'oppressions qui le surplombe : chacun y a ses compensations, opprimé par le supérieur, opprimant l'inférieur ; seul le paysan reçoit tout le poids de l'appareil sur les épaules, sans recours, sans dialogue possible avec le dessus, sans échappatoire vers plus bas que lui. C'est encore la condition du simple soldat dans l'appareil de guerre. Chaque fois qu'un pouvoir laisse ainsi se détacher de lui toute une zone d'humanité — et les anarchistes pensent que c'est la fatalité de tout pouvoir — il est condamné par la dignité même de l'homme. Il prépare, il justifie une explosion qui reste la seule issue possible à trop de désespoir, à trop de solitude et de dégradation.

Côté gouvernants, comme dit Alain, le pouvoir rend fou. C'est un des leitmotive de l'anarchie, à l'adresse des semi-libéraux et de tous les anarchistes ; mais, qu'on ne fait pas, dans son cœur, au pouvoir sa part ; que toujours, quelle que soit son origine et quelle que soit sa forme, il tend au despotisme. « Rien n'est plus dangereux pour l'homme que l'*habitude* de commander », d'avoir raison. (Le vrai chef, disait récemment un apprenti dictateur, est celui qui ne consent jamais à admettre qu'il ait tort.) Gouvernements, académies, les plus rouges y perdent « cette énergie incommode et sauvage » qui fait l'homme libre. « L'instinct du commandement, dans son essence primitive, est un instinct carnivore, tout bestial, tout sauvage... S'il est un diable dans toute l'histoire humaine, c'est ce principe du commandement... Lui seul a produit tous les malheurs, tous les crimes et toutes les hontes de l'histoire. » Il s'agite en tout homme : « Le meilleur, le plus intelligent, le plus désintéressé, le plus généreux, le plus pur se gâtera infailliblement et toujours à ce métier. Deux sentiments inhérents au pouvoir ne manqueront jamais de produire cette démoralisation : *le mépris des masses populaires et l'exagération de son propre mérite.* » Ces meilleurs, ces purs, se duperont sur eux-mêmes en pensant travailler pour le bien de ceux qu'ils oppriment [32]. D'où vient la dépravation? De l'absence continue de contrôle et d'opposition : la situation la plus propre à touner la tête du moins perverti des hommes. Le plus libéral, s'il ne prend garde de souvent se retremper dans l'élément populaire, de provoquer lui-même la critique et l'opposition y change bientôt de nature.

Il faut donc revenir au « pouvoir naturel », celui qui est antérieur à ce processus d'aliénation et de centralisation. Il n'est plus même légitime de l'appeler pouvoir : « force collective », dira Proudhon à qui l'on doit le meilleur appareil intellectuel dans cette définition de l'état d'an-archie ; à la fin de son œuvre il précisera : « règne du droit ». Esprit puissamment synthétique à travers des tourbillons de désordre, Proudhon reliait solidement sa critique du pouvoir à sa logique générale[33]. Depuis Hegel — la maladie nous reprend aujourd'hui — tout penseur se fût cru déconsidéré s'il ne marchait par thèse-antithèse-synthèse. Proudhon refuse l'ordre de marche. Quelque temps, il a cherché aux contradictions économiques et aux contradictions politiques la solution d'un « principe supérieur ». Il y renonce bientôt. La réalité est « oscillation et antagonisme susceptible d'équi-

32. Bakounine, *Fédéralisme*, B., I, 176; *Empire...*, III, 53; *Protestation...*, VI, 17.

33. Voir *La Justice...*, *passim; Principe fédératif*, 30, et l'introduction de Guy-Grand à *La Justice*, I, dans Œ., 104 s.

libre », mais d'équilibre tendu et vivant. Toute synthèse, tout moyen terme (ailleurs, il fonce sur le syllogisme) n'est qu'artifice, abrégé, confusion ; ils masquent et compriment un antagonisme fécond de forces ou d'idées qui n'avancent dans l'être qu'en continuant de s'opposer dans leur intégrité et dans leur hostilité. Toute synthèse est un intermédiaire gêneur. C'est ici que nous rejoignons le politique. Lequel a influencé l'autre? Quand il s'agit de Proudhon, on est tenté de penser qu'il a plutôt pensé la logique en politicien que la politique en logicien, mais sait-on jamais dans une tête en pareille ébullition? *La synthèse*, va-t-il donc dire, *est gouvernementale :* elle est cette abstraction sur les libres réalités qui s'arroge le pouvoir de les régenter, de les plier à une unité factice, de gré ou de force. — Mais elle est condition de l'universalité? — Pseudo-universalité. Le régime communal de la belle époque, au Moyen Age, offrait un trop magnifique exemple d'une universalité purement spirituelle appuyée à un régime de petites collectivités spontanées : Kropotkine, entre autres, l'a abondamment exploité [34].

Au droit de l'*autorité* et de la *subordination*, à une métaphysique de la totalité, à travers lesquels il voit le chemin tracé à la politique de l'État totalitaire, Proudhon oppose le droit de l'*égalité* et de la *coordination.*

Le fondement en est l'idée de *justice*. L'idée de justice (faut-il encore dire « idée »?) est le principe affectif central de la sensibilité anarchiste, et celle-ci en imprégna la sensibilité ouvrière jusqu'au moment où les idées plus sèches et objectives apprises du marxisme scientifique sont entrées en concurrence avec elle. Au premier abord, elle présente chez Proudhon l'aspect rigoureux, presque mathématique d'un simple équilibre de compensation. En réalité elle est chez Proudhon, comme dans tout le mouvement ouvrier, une passion profonde, un visage de Dieu que les mots res-

34. *Paroles d'un révolté*, Flammarion, 105 s.; *L'Entraide*, Hachette, 131 s.

tent maladroits à définir [35]. C'est elle qui fait que le problème anarchiste ne se pose jamais comme un simple problème de fait, de forces, d'évolution, mais d'abord comme un problème de l'homme. Enracinée au cœur de l'homme, elle y a, comme l'entendement, sa vie propre, ses notions fondamentales, ses formes innées, ses anticipations [36]. Subjectivement regardée, elle est le sentiment par lequel je sens pour ainsi dire mon être et ma dignité dans les autres, une sorte de sentiment rationnel, impersonnel et cependant fervent dont la parenté avec le « respect » kantien ne fait pas de doute. Objectivement prise, elle est, en opposition à la subordination partiale et outrageante du pouvoir, le seul « système d'équilibration de forces libres » et l'ordre même de réciprocité qui convient à des hommes d'équivalente dignité humaine : « réciprocité de service » et « réciprocité de respect », c'est l'antique talion, mais retourné, et installé dans les œuvres de collaboration humaine.

On a rompu beaucoup de lances inutiles contre les absurdités de l'égalitarisme. Elles sont moins fréquentes qu'on ne croit. A leur époque déjà Proudhon et Bakounine devaient protester non sans impatience de ce qu'ils n'avaient jamais nié les différences naturelles des hommes (des anarchistes, il faudrait voir ça!) et préciser à qui faisait la bête qu'ils demandaient seulement la suppression des privilèges artificiels, condition essentielle pour que les vraies capacités individuelles découvrent leurs possibilités ou leur impuissance [37]. Ils avaient même l'audace de s'appuyer à une exigence morale : « C'est le propre du privilège, et de toute

35. Yves Simon, dans une étude de *Nova et Vetera* (Fribourg, juillet 1934), cite ce fragment inédit du troisième carnet : « D'où me vient cette passion de la justice, qui m'entraîne et m'irrite et m'indigne?... Je ne puis m'en rendre compte. C'est mon Dieu, ma religion, mon tout; et si j'entreprends de le justifier par raison philosophique, je ne le peux pas. » N'en fait-il pas ailleurs (*Capacité*..., 98) le Paraclet annoncé par Jésus-Christ?

36. *Justice*, II, Œ., 63, 65.

37. Cf. par ex. : Proudhon, *Capacité*, Œ., 120 s. ; Bakounine, IV, 149 s. ; *Fédéralisme*, B., I, 55 s.

position privilégiée, écrivait Bakounine, faisant écho à ses considérations sur le pouvoir, que de tuer l'esprit et le cœur des hommes. L'homme privilégié, soit politiquement, soit économiquement, est un homme intellectuellement et moralement dépravé. Voilà une loi sociale qui n'admet aucune exception et qui s'applique aussi bien à des nations tout entières qu'aux classes, aux compagnies et aux individus. C'est la loi de l'égalité, condition suprême de la liberté et de l'humanité [38]. »

Une société d'où toute subordination est exclue ne comporte plus que des rapports de coexistence et de coordination. Ici comme dans l'univers, le centre est partout, la circonférence nulle part [39]; comme l'univers s'est débarrassé de Dieu et de principes premiers pour se résoudre en rapports, la société doit se débarrasser des pouvoirs pour se résoudre en échanges : commerce, mutualité, association, contrat remplacent les relations de commandement, d'obéissance et de législation, un réseau de relations immanentes apparaît sous la « transcendance » des gouvernements, la « société » se délivre de l'État. Désordre? Ils le nient. L'erreur de tout principe autoritaire c'est de croire que le gouvernement est la *cause* de l'ordre alors qu'il n'est qu'une *espèce* de l'ordre, et non la meilleure [40]. Le mot de contrat pourrait trahir la pensée de Proudhon, en laissant croire à un ordre purement formel et extérieur. Non, le règne du contrat [41] découvre un ordre plus profond et plus intime que le règne du pouvoir : dans un régime de gouvernement, le gouverné aliène nécessairement une partie de sa liberté et de sa fortune; dans le règne du contrat, le citoyen, à chaque opération d'échange, est présent dans un intérêt bien personnel

38. *Empire...*, B., III, 53.
39 Proudhon, *Célébration du dimanche*, Œ., 32.
40 *Idée générale...*, Œ., 202.
41. Rappelons que le contrat social de Rousseau n'a rien de commun avec le régime contractuel de Proudhon. Contrat sans contenu et autorisant tout arbitraire, dernière invention des gouvernements, aliénation consciente et organisée, Proudhon n'a jamais décoléré contre lui. Voir *ibid.*, Œ., 187 s.

et bien réel; l'ordre est sa mesure, il est à hauteur de l'ordre, l'ordre collectif n'est que sa volonté répétée à l'infini : toute hétéronomie est exclue de la société.

Si l'autorité n'était autre chose que ce que nous voyons ici dépeint, si le pouvoir n'avait d'autre forme possible que cette pression sur les hommes d'un appareil déshumanisé, il ne faudrait voir dans la critique anarchiste que la réaction violente et saine d'un personnalisme outragé. Et les situations historiques sont telles qu'elle a en effet été cela, ou du moins qu'elle a plus ou moins tenu cette place dans la pensée ouvrière. En la suivant dans le détail nous verrons que si, dans ses formules de base, elle a lourdement bousculé la vérité historique, la psychologie de l'homme réel et les exigences de la pensée, dans ses analyses morales et politiques elle se montre d'une sagacité qui la met sans conteste à l'avant-garde de la pensée socialiste. Ses ennemis sont des ennemis réels, et somme toute, ses flèches partent dans la bonne direction. La question est de savoir si elles n'atteignent pas plus loin que le but, si, en un mot, elle n'a pas confondu l'autorité et le pouvoir avec leur caricature commune qui n'est que la dépersonnalisation de l'une et de l'autre.

POUR UNE DOCTRINE PERSONNALISTE DE L'AUTORITÉ

Nous n'avons pas la place ici de développer une doctrine personnaliste de l'autorité. D'autres l'ont ébauchée [42], elle est encore bien loin d'être au point, bien loin d'avoir intégré et décanté toute l'expérience historique, bien ou-

42. Les discussions autour du modernisme ont amorcé un renouvellement du problème, en forçant des thèses traditionnelles, un peu raidies, à se préciser et à se renouveler. Il reste beaucoup à faire. Il faudrait rendre hommage ici aussi bien à des hommes comme le P. Laberthonnière, dont le sort douloureux a été de poser tous les problèmes cruciaux de ce temps avec une perspicacité que gâchèrent malheureusement des hâtes, des préjugés, des ressentiments, et à ces autres esprits qui, avec un sens remarquable de la dignité des hommes et de la continuité de la recherche préfèrent chaque fois qu'un effort avorte, en recueillir et en perpétuer l'intention la meilleure, plutôt que de l'accabler sous ses erreurs.

blieuse souvent, devant les faits, de ses exigences premières. Nous y reviendrons plus tard. Jetons seulement quelques traits sur le papier, suffisants pour y prendre référence des doctrines dont nous nous occupons.

Il faudrait partir d'un vocabulaire strict. Il y a, sur le mot d'autorité, une ambiguïté que mettent en valeur ces deux phrases : « Il a de l'autorité sur ses camarades », et : « Les autorités sont arrivées sur les lieux. » Dans la première, *autorité* équivaut à un ascendant personnel, à un empire, dans le rayonnement duquel n'entrent nulle contrainte, peut-être même nulle intimidation; dans la seconde, *autorité* s'identifie à un *pouvoir* de contrainte, voire à sa représentation matérielle. Entre les deux, le mot oscille entre l'indication d'une prééminence spirituelle, et celle d'une pression toujours plus ou moins extérieure au sujet (au sens où l'on dit par exemple un argument d'autorité).

Cette hésitation ne viendrait-elle pas d'une incertitude de pensée? Les uns, parce que tout pouvoir pèse et malmène des hommes libres, sont tentés de refuser à l'autorité spirituelle tout contact avec les moyens lourds qui relèvent du pouvoir, et forcément, par lui, de quelque manière de contrainte. Les autres, qui ne voient que l'apparence, c'est-à-dire des pouvoirs en lutte, rejettent l'autorité aux nuées. Angélisme, machiavélisme, l'homme est trahi, ici et là, dans des abstractions complémentaires. Dans le monde concret, humain, où l'esprit est étroitement uni à la chair, il n'est pas une autorité qui ne se traduise, pour des hommes tirés en tous sens par des tendances discordantes, par quelque espèce de contrainte, pas de pouvoir qui puisse se légitimer, et même durer, sans une autorité qu'il exerce, mais ne crée pas.

Pour être clair, il faudrait donc distinguer :

l'*autorité*, fondement du pouvoir : prééminence d'une existence ou d'une valeur spirituelle;

du *pouvoir*, instrument visible de l'autorité, tenant d'elle sa valeur et la loi de son exercice, non exclusif d'une certaine contrainte quoique tendant, par destination spirituelle, à s'en expurger toujours plus complètement;

enfin de la *puissance*, matérialisation du pouvoir, résidu du pouvoir quand l'autorité s'en est retirée, simple synonyme de la force.

L'autorité est transcendante au pouvoir, mais dans son jeu normal n'en est pas séparée. Le pouvoir peut survivre à l'autorité qui l'a un moment justifié : il est alors déchu au rang de simple puissance. Le pouvoir n'est jamais entièrement pur de toute-puissance. L'autorité est absente de la puissance, incompatible avec elle : la puissance est de la contrainte pure, sans autorité, ou de la contrainte débordant et bafouant l'autorité qui la met en branle. Toute la complexité — et l'ambiguïté fréquente — des situations concrètes naît de ces distinctions mêlées à ces intrications.

S'il n'est de spirituel que personnel, *il n'est d'autorité aussi que personnelle*. S'il est convenable à une personne d'être subordonnée, elle ne peut l'être à moins qu'elle-même, à un appareil, à une règle automatique. Elle ne peut même pas l'être à la simple totalité des personnes, constituée et détachée comme tout : car les personnes ne sont pas totalisables de cette manière mathématique, et une telle totalité ne se comporte pas autrement qu'un appareil [43]. Ce Dieu que décrit Bakounine, abstrait des forces cosmiques par la faculté logique la plus impersonnelle de l'homme, ce pouvoir selon Proudhon, qui n'est qu'une émanation des forces collectives, une vertu sortie de l'homme mais détachée de lui et retombant sur lui de toute son inertie, ce sont des puissances oppressives, ce ne sont plus des personnes, singulières ou collectives, capables d'autorité. Bakounine croyait de l'autorité qu'elle coïncidait avec le minimum d'être ou le Néant. Mais non : le néant est le lieu de la puissance. L'autorité s'attache au maximum d'être, qui est l'être personnel. Elle est alors inéluctable. Entre des individus dont les rapports ne sont que des inté-

43. Proudhon, *Capacité de la classe ouvrière*, éd. Dentu, p. 193 n : « Ce qui distingue entre autres la fausse unité, c'est son matérialisme. Pour un pareil régime un singe suffirait au commandement. La machine montée, tout obéit. »

rêts, il n'y a que des équilibres horizontaux; entre des personnes dont le mouvement de vie est un mouvement en hauteur, il y a d'inévitables différences de niveau, d'inévitables *ascendants*.

Une autorité personnelle et s'exerçant sur des personnes a le devoir de ne le faire que selon des rapports qui ne trouvent nulle part ailleurs leur équivalent. Une autorité n'est pas automatiquement condamnée, parce qu'elle ferait usage d'autres méthodes que celles qui sont exigées par un univers de personnes, elle en est incontestablement diminuée, au moins atteinte dans ses œuvres. Qu'est-ce que cette exigence implique? Comment définir ces rapports?

S'agit-il seulement pour le pouvoir de s'adapter à l'individualité de ses assujettis et aux caprices de leur libre arbitre? Ce serait une fois de plus confondre la personne avec les vicissitudes empiriques de la « personnalité ». Si le pouvoir exerce une réelle autorité, représente une valeur authentique, la réalité qu'il sert, la valeur qu'il manifeste importent plus que mes résistances, mes maladresses ou les caprices de mon libre arbitre envisagé comme simple pouvoir d'indifférence. Ce que le pouvoir ne peut se subordonner, c'est ma personne et sa liberté profonde : mais être libre, c'est se libérer en s'engageant dans les voies qui libèrent, ce n'est pas crier à la liberté en courant à sa fantaisie ou à ses servitudes. Les pouvoirs autorisés peuvent donc bousculer au nom d'une autorité vraie ce qui en moi est extérieur à moi, ils ne peuvent en user par contrainte quelconque avec mon for interne et avec la liberté extérieure qui lui est nécessaire pour s'exprimer [44]. Ils sont finalement

44. La considération d'une autorité au for interne comme celle que s'arroge l'Église est hors de notre sujet et de sa compétence. Notons simplement au passage que, appliqué à l'Église et appliqué à l'État ou aux autres pouvoirs humains, le mot « autorité », contrairement à ce que pensait Bakounine, signifie des choses *essentiellement* distinctes ici et là, analogues seulement d'une analogie de proportionnalité, les fins et l'origine de l'autorité étant ici temporelles, là surnaturelles. Une orthodoxie ou une orthopraxie impliquant orthodoxie, imposées par un pouvoir *exclusivement* temporel sont en toute hypothèse intolérables.

au service de la liberté ontologique des personnes. Bien loin de se constituer avec les dépouilles de l'humanité, ils n'ont de raison que d'*augmenter* l'humanité chez ceux qui en relèvent. Ce que dit le mot *auctoritas*. Et si le monde entier conspire à la personne, il ne peut y avoir contradiction entre la finalité propre des valeurs protégées par les pouvoirs et cette finalité adoptive qu'ils reçoivent des hommes à qui elles sont destinées. Les conflits ne sont qu'entre des pouvoirs matérialisés en puissances de pure contrainte et des individus qui renoncent à la vie personnelle, à moins que les uns et les autres ne s'entendent à établir la servitude.

Un pouvoir ne se justifie que par la réussite de cet ordre en partie double. Le pouvoir a pour fin le bien commun des personnes, qui n'est pas la somme des intérêts individuels, et c'est pour cela qu'il peut brimer les intérêts simplement individuels, comprimer, interdire des activités extérieures; mais ce bien commun ne peut écraser une seule personne comme telle, refuser place à un seul acte d'authentique liberté spirituelle. Surtout, il ne peut pas se substituer aux personnes pour les décisions dont dépend leur destin même (en quoi consiste précisément l' « aliénation » décrite par Proudhon et Bakounine). Quand il a autorité pour les solliciter, voire pour les prévenir, comme lorsque l'État, par exemple, organise un enseignement, une législation de la moralité publique, il doit, pour l'efficacité même de son projet, collaborer avec les assujettis : une réponse que nulle question n'appelle, un geste que nulle offrande ne soutient, une institution que nul besoin n'alimente, quel avenir peuvent-ils espérer? Mais surtout quel bien produisent-ils? Sinon, dans les cœurs, de tels fruits d'amertume — la plus vive blessure humaine est la blessure de liberté, — qu'ils préparent l'anarchie, l'anarchie visible, la violence et le désordre déployés, manifestant cette anarchie, cette violence et ce désordre contenus qu'ils installent sous le couvert de l'Ordre.

On voit sur quels points une critique personnaliste de l'autorité rejoint la critique anarchiste, sur quels points elle s'en éloigne. On peut dire qu'elle l'intègre tout entière, mais en l'appliquant à la puissance, qui est, dans le monde de l'homme, une manifestation de forces inférieures au monde de l'homme (et au pouvoir, dans la mesure et dans la mesure seulement où sa puissance domine dans son exercice). C'est sur ce plan de la puissance que se rompt le lien unique qui relie la personne à l'autorité, que la personne s'aliène dans ses réactions, se renonce dans ses substituts. C'est là que le rapport de subordination vivante se casse en un double rapport, d'aliénation dans un sens, d'oppression dans l'autre sens. C'est là que le « pouvoir politique » devient « pouvoir despotique », que le règne du droit cède à l'arbitraire de la puissance. Quand Proudhon écrivait que « le mot anarchie (est) pris... dans le sens de la négation de la souveraineté... c'est-à-dire du bon plaisir dans le gouvernement [45] », quand il faisait la critique de l'« aliénation » du pouvoir, il disait des choses très voisines, au moins en ce moment de son œuvre, des affirmations selon lesquelles le pouvoir commence à se corrompre quand le Prince le détourne à son profit personnel.

Mais il n'y a pas alors exercice de *l'autorité*, nous nous trouvons devant une matérialisation du pouvoir, où sont omises les deux finalités qui seules l'autorisent : celle qui vient « d'en haut », de la valeur représentée par lui, et celle qui vient « d'en bas », des personnes intéressées par son exercice.

Si nous rappelons cette dernière terminologie, résidu d'un grossier spiritualisme, c'est pour essayer de mettre fin aux confusions qu'elle traîne avec elle. « Toute autorité vient d'en haut » : que veut dire ce truisme, sinon que l'autorité est l'autorité, qu'une valeur n'est pas constituée par ceux

45. *Justice*, II, Œ., 103.

qui s'y engagent, mais leur préexiste et a prévalence sur eux. Plaquez cette évidence sur une projection « en hauteur » des hiérarchies sociales, matérialisation de l'idée d'autorité, et vous aurez cette conclusion que tout ce qui est « en haut », c'est-à-dire du côté du maximum de puissance en régime centralisé, est du même coup plus « haut » spirituellement, quant à l'autorité qu'il détient. Est-ce que par hasard, en régime tyrannique, ou simplement dans un pouvoir qui survit à l'autorité qui le fonda, ce qui est en haut n'est pas précisément le plus en bas en valeur, voire, comme l'écrit ici Bergamin, la « totalisation du néant »? N'est-ce pas par des initiatives « d'en bas » par contre, en ce sens matériel et grossièrement métaphorique, que l'autorité s'est presque toujours reconstituée quand les pouvoirs l'avaient abdiquée : chevalerie au Moyen Age, prophètes et saints dans l'Église judéo-chrétienne, réformateurs ou pression populaire dans les États? Bien plus, quand une autorité s'applique à des personnes, par quel tour de vocabulaire éviterait-on de dire qu'à l'autorité première de telle personne ou de telle valeur transcendante aux personnes se compose une manière d'autorité seconde, venue « d'en bas », et qui est l'exigence même de la personne dans la manière dont peut s'appliquer à elle l'autorité?

Il convient de rappeler ici en deux mots la position du chrétien, notamment du catholique, puisque Bakounine s'en sert comme ressort de toute sa critique. Quand il affirme que tout pouvoir vient de Dieu, il entend dire que tout pouvoir autorisé, conforme au plan de Dieu, *qui comporte la dignité de l'homme*, est une fraction de l'autorité de Dieu. C'est méconnaître le sens traditionnel de cette formule que de lui faire baptiser tous les pouvoirs de fait (toutes les puissances dirons-nous), et, en ceux mêmes qu'elle autorise ou tolère, toutes leurs initiatives. Non seulement elle ne s'oppose pas à ce que l'autorité, divine en son essence (ce qui exclut qu'elle soit créée *ex nihilo* par la seule volonté des individus qui l'acceptent), puisse, dans le mode d'élection de ses mandats, être conférée au corps social tout entier (à la « base[46] »); mais, à cette base faite d'un vivant tissu de personnes, elle donne une muraille infranchissable de garanties, pouvant aller jusqu'à recueillir en elle l'autorité suprême abandonnée par le tyran et s'en revendiquer contre lui, jusqu'à la violence dans les situations extrêmes. Une telle charge ne peut succéder à une totale aliénation. Tout le mouvement du christianisme est pour détendre la puissance sous l'ascendant de l'amour, pour pénétrer l'autorité de service et le service d'amitié, pour assurer la réponse personnelle de l'assujetti, pour entretenir sa conversation avec le pouvoir. « Je ne vous appelle plus mes serviteurs, mais mes amis », « Je suis avec vous jusqu'à la consommation des siècles » : l'autorité spirituelle ne se sépare pas, n'aliène pas, elle *est avec*, et élève. Ces conditions que, pour le chrétien, Dieu lui-même a respectées, en donnant à un être « semblable à lui » la liberté même de le nier, qu'il respecte chaque jour dans le secret de notre vie intérieure, va-t-il en dispenser les seuls pouvoirs temporels? C'est bien mal connaître le christianisme que le penser. Bakounine comme bien d'autres, quand il pensait « transcendance », s'est laissé piper à une image toute matérielle qui identifie transcendance à extériorité, à hétéronomie pure.

Certes il nous reste sur la condition de l'homme suffisamment de pessimisme pour ne pas faire à la contrainte une part inévitable : dans l'« an-archie » de sociétés spontanées, ce n'est pas seulement la diversité des personnes qui tire à droite et à gauche, mais l'instinct de puissance, d'anarchie (sans trait d'union cette fois) et d'oppression qui fermente en chacun; pour promouvoir le bien de tous et la liberté de chacun, pour coordonner les moyens d'action quand la di-

46. Après les longs débats qui ont opposé les théologies catholiques sur le fondement de la démocratie, il est entre eux d'opinion libre, une fois admise l'institution par Dieu de toute autorité légitime, — soit que, pour la désignation des gouvernements, selon les circonstances historiques, l'autorité puisse être conférée immédiatement par Dieu au corps social tout entier, qui la transmet aux gouvernements, soit qu'elle ne consacre que les gouvernants eux-mêmes, l'élection étant une simple désignation préalable à une institution d'autorité.

vergence des initiatives risque d'en neutraliser l'efficacité, pour protéger chaque personne contre ceux qui seraient tentés d'user d'elle comme d'un moyen, une contrainte est nécessaire : la liberté qui traite la liberté d'autrui comme une chose n'est plus liberté, ce n'est plus de l'esprit que l'on blesse en faisant pression sur elle; et même dans son bon usage, la liberté doit sacrifier à nos communautés imparfaites qui ne peuvent intégrer toutes les possibilités de tous. La frontière est toujours incertaine, la mesure toujours difficile, entre la contrainte qui sert la personne et celle qui commence à la brimer, entre la liberté qui l'exprime, et celle qui la compromet : la cité personnaliste est une cité fragile, comme un corps vivant, comme la grâce est fragile, *et c'est sa grandeur*. La puissance des monolithes, dont se prévaut l'État totalitaire, ce serait trop dire encore que c'est une grandeur de chair : une stupidité de pierre et de ciment dont on fait gloire à une cité d'hommes! L'État personnaliste est un État faible, au sens où l'humanité est faible devant la violence, où la loyauté est faible devant le cynisme, où la vérité, parfois, est faible devant le mensonge. Mais est-ce par hasard que la mort n'apparaît sur ce globe qu'avec le règne fragile de la vie, et savait-il jusqu'où portaient ses paroles, ce biologiste qui définissait la vie « l'ensemble des forces qui luttent contre la mort »?

Le plus génial des penseurs anarchistes, Proudhon, devait pousser sa réflexion jusqu'au point où il apercevait le nœud de toutes ces exigences [47]. Il finit par reconnaître, dans l'autorité et dans la liberté, deux principes indissolublement liés de l'ordre politique, l'un sans l'autre vide de sens. Tout régime politique lui apparaît alors comme une transaction, un balancement entre les deux. Il accordait encore au second plus de valeur spirituelle, et surtout le voyait croître indéfiniment dans l'avenir au détriment du premier, mais sans que celui-ci puisse jamais disparaître. Pour que le contrat soit synallagmatique entre le citoyen et la société, il suffit

47. Voir notamment les cinquante premières pages du *Principe fédératif*.

que le citoyen se réserve individuellement, en formant le pacte, plus de droits, de liberté, d'autorité, de propriété qu'il n'en abandonne, au fond, qu'il garde barre sur la société. Lorsqu'il commença à parler de fédération, ce n'est plus autre chose que Proudhon entendait par anarchie [48].

L'HISTOIRE DES ÉTATS, MARTYROLOGE DU PEUPLE

Autant il nous est difficile de suivre dans ses formules idéologiques la critique anarchiste du pouvoir, autant, dans le détail de ses analyses, qui couvrent celles-ci, beaucoup plus proches de l'expérience ouvrière, nous trouverons de richesse et de sagacité.

La critique de l'État en est la première pièce. Vieille tradition. L'athée Sylvain Maréchal, dans le *Manifeste des Égaux*, hurlait déjà en 1796 : « Disparaissez enfin, révoltante distinction de gouvernants et de gouvernés ! » L'École saint-simonienne avait repris et placé l'utopie dans la juste atmosphère qui l'entretint tout au cours du XIXe et la maintient vivante aujourd'hui encore dans les milieux les moins extrémistes qui soient. Les politiques, depuis des siècles, accumulaient les désordres et les ruines, et en étaient encore à discuter de leurs principes. Pendant ce temps une méthode d'organisation des idées et des choses poursuivait un succès infaillible : la technique scientifique et industrielle. Pourquoi ne pas s'en faire un instrument universel? Demain les gouvernements des hommes seraient remplacés par l'organisation des choses comme la métaphysique le serait par le système des sciences et la force des bras par la machine. On crut le processus fatal, et l'anarchie fit sienne cette croyance, qui donnait du sérieux à ses aspirations. L'autorité, pensait-elle, est la vieille machine qui encombre toute l'usine. Elle ne garde encore de raison d'être que par les défauts de l'ordre économique, auxquels elle supplée plus ou moins lourdement. Un ordre économique parfait la rendrait inutile :

48. *Ibid.*, 68.

« Le producteur est la négation du gouvernant, l'organisation est incompatible avec l'autorité [49]. » « L'unité *purement* économique et invisible » de la société [50] sauve l'homme de l'oppression, comme, pour les Réformés, l'Église invisible et purement spirituelle devait le délivrer des pouvoirs ecclésiastiques.

Peut-être l'anarchisme se fût-il arraché à ses erreurs s'il était allé jusqu'au bout de sa critique, au lieu de se reposer dans l'utopie économique. Le goût du pouvoir, auquel il n'a laissé aucun répit, il l'a considéré comme un mal plutôt extérieur à l'homme, dont il pouvait se débarrasser en retournant à une sorte d'innocence qui n'était plus l'innocence sauvage et pastorale du bon Rousseau, mais une innocence savante et civilisée, celle d'une nature aux gestes compliqués, enfin libérée de ses entraves. Sortant des contraintes pesantes du vieux corporatisme, l'essor industriel n'éveillait alors, il faut le dire, que des images de liberté. Si l'on était socialiste, on attribuait aux hommes ce à quoi les nécessités des choses avaient leur part. Il était réservé à une expérience postérieure de révéler la tyrannie que, lui aussi, l'économique, sécrétait infailliblement, et de conférer au politique une finalité nouvelle : protéger l'homme contre ses œuvres.

En s'attaquant à ce ressort de la tyrannie jusque dans le jeu de l'économie, la pensée anarchiste aurait pu renouveler ses thèmes. Si elle ne l'a pas fait, restons-lui reconnaissants d'avoir poussé plus loin que toute autre la critique des fatalités politiques.

Celle-ci est moins désordonnée qu'il ne paraît. Dans son opposition aux pouvoirs, on n'a pas assez discerné la recherche d'une *autorité* véritable. Quel sens prendrait autrement l'opposition qu'elle fait, depuis Proudhon, entre l'*État* et la *société*, la société désignant tout ce qui s'orga-

49. Proudhon, *Idée générale*, Œ., 199.

50 L'expression est de Proudhon, dans les *Confessions*. La même page cependant parle de « la rendre visible, par un organe spécial ou par une assemblée ».

nise spontanément dans la conscience commune et dans les forces collectives, — étoffe psychologique et étoffe économique de la collectivité, — l'État évoquant une sorte de « sous-fonction [51] » subordonnée à la société, et tenant au surplus, s'il n'usurpe pas, bien peu de place dans les innombrables préoccupations des hommes. La société, avec l'ensemble de ses initiatives, joue bien pour les anarchistes le rôle d'une autorité spirituelle. Ils ne disaient pas le mot, parce que « autorité » était grevé pour eux d'un coefficient irréductiblement péjoratif, mais ils pensaient la chose.

A tel point que ses lois ont beau être rigoureuses, ils ne les sentent plus peser : il suffit qu'elles soient des lois « naturelles », et nous relient, sans l'intervention de volontés étrangères, à la réalité de l'univers. Singulier lapsus de principe, sur lequel nous reviendrons! Mais si grossier soit le naturalisme qui traduit ici leur exigence, il serait injuste de ne pas y voir un effort pour dévaloriser l'apparence, en l'espèce l'inflation du politique, qui étouffe en effet les vrais problèmes, et de chercher un terrain solide où poser l'homme et son destin.

Cette « société » n'est pas simple abstraction. Ils ont lu Kropotkine, ils y ont appris que l'homme a vécu des milliers d'années avant les États et les Empires. Leur Bible et leur Légende dorée, c'est cette souple et chatoyante histoire dont leur parle *La science moderne et l'anarchie*, qui va des libres sociétés primitives aux communes de village, puis aux communes urbaines, aux guildes et fraternités jurées. Elle se brise à la fin du Moyen Age par la conspiration du seigneur, du chef militaire, du juge romain, du prêtre, du marchand et du roi, et fuse depuis, comme un feu souterrain, dans ces jacqueries sous-jacentes aux révolutions, et qui les secouent de temps à autre dans leur sommeil politique, sans les avoir jamais amenées encore à renoncer à leur jeune force pour faire place à la cité perdue.

Les vestiges de cette spontanéité méconnue restent le sang et la vie des nations. Le droit, la loi qui croient préten-

51. Le terme est de Proudhon, *Capacité...*, 200.

tieusement leur donner, en même temps que la forme, l'être, n'ont de réalité que ce qu'ils peuvent garder des coutumes préexistantes, défiguré par tout ce qu'ils y ont superposé pour la protection de la propriété, des castes et de l'appareil gouvernemental. Vieille entremetteuse, la loi « transporte l'oppression » de siècle en siècle, la garantit contre ses défaillances, contre les poussées de la vie. Regardez : offre-t-elle les lignes simples et sereines de la justice? Non : autant de rides contrariées que d'intérêts divergents. « Formation papyracée » étouffant les terres fertiles de l'ingéniosité humaine, toile d'araignée tendue par les puissants et les riches, Proudhon, après Kropotkine, après Godwin, en fait la cible de son ironie [52].

Eux aussi, les anarchistes ont donc leur tradition, la plus ancienne de l'humanité : ce n'est qu'à très courte échelle historique, après tout, qu'il est permis de les prendre pour révolutionnaires. Mais il y a eu le mal, et le mal c'est l'État.

Un mot résume son essence; sous sa forme savante : aliénation, sous une traduction populaire : parasitisme. Même processus que dans toute forme de pouvoir : une minorité s'empare des affaires de tous, met la majorité sur l'enclume, et tape [53]. Dès que ses organes sont constitués il se produit une sorte de repliement égoïste de l'État. Le mécanisme de « transcendance » s'en saisit. Il décrète le bien et le mal selon son intérêt, qui se détache de celui de la société. Il ne peut plus tolérer de relation immédiate d'homme à homme, devient envahissant, exclusif, bientôt tracassier et inquisiteur. Cher au surplus, ajoute Proudhon, chiffres en main, et stérilement cher, sauf pour ses favoris, il est à noter qu'État et capitalisme sont nés en même temps, au XVe siècle, ont évolué de pair, mènent les mêmes guerre [54], et que finalement la centralisation, les places qu'elle crée, les influences qu'elle met en œuvre, « tout cela est bourgeois

52. Cf. Kropotkine, *Paroles d'un révolté*. 213 s. ; Proudhon, *Idée générale*, 147 s.
53. Bakounine, *Conférence aux Ouvriers*, V, 311.
54. Kropotkine, *La science moderne et l'anarchie*, 253 s.

et va au bourgeois [55] ». A l'extérieur, il ne connaît que la loi de sa force (les petits ne sont vertueux que par faiblesse); à la fois absolu et illimité par définition, tout dans sa nature est annexioniste, contrairement au régime fédéral qui est sans force pour la conquête [56]. Du patriotisme naturel, sentiment tout local, et d'ailleurs purement instinctif et animal, il a fait, en le soufflant de politique, d'économie, de religion, une sorte de passion monstrueuse qui pousse en sens inverse de la civilisation.

Tout cela n'est pas très original. C'est quand ils aventurent cette critique commune jusqu'aux formes de l'État qui sembleraient devoir y échapper, la démocratie et les gouvernements révolutionnaires, que les anarchistes innovent [57]. Et ce sont ces avertissements qu'il est le plus opportun aujourd'hui de réveiller.

On ne fait pas à l'État sa part : c'est leur tarte à la crème contre les démocrates et les socialistes centralisateurs. Lui céder une part de liberté pour assurer le reste, c'est supposer que la liberté est divisible : le reste, c'est de la sécurité, si vous voulez, ce n'est plus de la liberté [58]. — Mais si nous prenons la place, si nous renversons la vapeur, si nous utilisons en sens inverse de son fonctionnement passé cette merveilleuse machine rodée par cinq siècles d'expérience? — Il ne faut pas renverser l'État, il faut briser l'État. Il n'y a pas d'abus du pouvoir, il y a le pouvoir, qui abuse par nature. Exploiter et gouverner signifient la même chose. Si vous montez sur la machine, c'est la machine qui vous emportera. — Mais si j'en change jusqu'à la forme, si j'en fais une démocratie, bien plus, une démocratie populaire? — Ce n'est pas une question de *forme*, mais de *principe*. « *Gouvernement démocratique et religion naturelle* sont deux contradictions, à moins qu'on ne préfère y voir deux mystifications [59]. »

55. Proudhon, *La Fédération*, Œ., 28.
56. *Id.*, *Principe fédératif*, Œ., 86.
57. Bakounine, *Lettre aux Internationaux*, I, 224.
58. *Id.*, *Fédéralisme...*, I, 144.
59. Proudhon, *Idée générale*, Œ., 208.

Le principe de l'État reste le même dans toutes les formes de l'État. Un républicain bourgeois est blessé par la forme de la royauté oligarchique, il n'est pas blessé par le principe, puisqu'il n'a rien de plus pressé que d'établir sa république oligarchique. Les compagnons de Napoléon ont été sincèrement ulcérés dans leurs sentiments « démocratiques » en lui voyant épouser une princesse de Habsbourg. Comment faire changer aux États leur nature, alors que c'est par cette nature qu'ils sont États? Laissons donc l'utopie d'un État bon, juste, vertueux. Il n'est pas d'exemple dans l'histoire qu'on ait pu retourner une institution contre son idée. Le politicien qui trahit au pouvoir dit qu'il « était bien *forcé* » d'agir ainsi, parle des « nécessités du pouvoir » : et il a mille fois raison. Mais qu'allait-il faire dans cette galère [60].

Tout cela n'est pas si mal raisonné. On y éprouve toujours des hommes un peu systématiques mais qui ne se laissent pas piper aux apparences. Ils nous préviennent encore contre une dernière tentation à éviter : celle de croire au mal nécessaire de l'État, cette sorte de timidité historique qui a amené toutes les révolutions à reconstituer la tyrannie [61].

C'est donc la condamnation de tous les régimes?

Voyons.

LES MENSONGES DE LA DÉMOCRATIE MASSIVE

Laissons les évidences et demi-évidences : autocraties, monarchies héréditaires et constitutionnelles. Restent trois formes possibles de gouvernement, qui semblent, elles, émaner du peuple : le gouvernement représentatif, le gouvernement direct, les gouvernements révolutionnaires. D'un nom collectif, les démocraties.

Les critiques de la démocratie sont vite suspectes aujourd'hui où, d'un peu tous côtés, des partis autoritaires

60. Voir surtout Kropotkine, *L'anarchie et l'État*, 227 s.; Bakounine, *Dieu et l'État*, I, 324, *Empire...*, II, 327 s.; *Lettres à un Français*, IV, 55.
61. Proudhon, *Idée générale*, Œ., 183.

annoncent sa mort. « Pas d'émotion au malade » est le mot d'ordre dans les milieux de gauche. Conservons-le, avec sa maladie bien dissimulée : il en serait trop secoué si on la lui révélait. Et puis, que dirait-on dans le quartier? — Ce n'est pas le malade qui est condamné, ce sont les gardes-malades et leur régime. Des hommes ayant un sens populaire authentique — les fondateurs, après tout, de l'idée républicaine et socialiste dans ce qu'elle a de plus virulent, ont porté à la démocratie toutes les critiques que de petits jeunes gens distingués vous tirent aujourd'hui de leur poche avec des airs profonds. Il est temps de réhabiliter cette critique avec, à l'adresse des satisfaits de gauche, sa hauteur de ton, et à l'adresse des satisfaits de droite, son vrai sens populaire. Ici nos auteurs sont inépuisables.

Proudhon, le philosophe de la bande, va droit aux principes. Frappé peut-être par la parenté des idées de volonté ou de pouvoir, ou par la liaison, de Rousseau aux Allemands, entre les conceptions autoritaires de l'État et une théorie volontariste du droit, il s'attaque directement à la théorie de la souveraineté populaire : fondant le droit sur une volonté, fût-elle générale, elle l'établit d'emblée dans l'arbitraire : car enfin, ou il faut obéir toujours à la volonté populaire, même quand elle se trompe, et où est la raison? ou il peut être dans certains cas du devoir d'un gouvernement de lui résister, et où est la souveraineté inaliénable du peuple [62]? La raison est la seule règle digne de l'homme, seule elle garantit l'autonomie de chacun parce qu'elle est la loi de tous et libération pour tous. « La loi peut n'avoir sa source dans aucune volonté, ni du peuple, ni de ses représentants, mais bien dans la reconnaissance de la vérité par la raison [63]. » En fondant sa règle sur la volonté générale, la démocratie est aveugle de naissance.

Elle prétend prophétiser, sinon mettre en raisons, la volonté du peuple. Tous nos anarchistes ont un sens très vivant, très organique du peuple. Mais encore, par amour

62. *Principe fédératif*, 46.
63. *Correspondance*, I, 178.

même du peuple vivant, distinguent-ils le peuple légal, celui qui s'exprime, du peuple réel. Que faudrait-il pour que le peuple légal exprimât adéquatement le peuple réel?

Il lui faudrait d'abord la capacité politique, c'est-à-dire :

1° Qu'il ait conscience de lui-même comme classe, de son droit et de sa force, et les affirme.

2° Qu'il dégage et affirme son idée, celle qui lui donne un sens, une mission, des buts.

3° Qu'il sache en déduire les conclusions pratiques de tactique, de réalisations à venir, etc.

Le peuple a-t-il aujourd'hui ces trois capacités? En 1864, Proudhon, sur le premier point, répondait « oui »; sur le second : « oui, mais confusément »; sur le troisième : «non»[64] L'intelligence politique des classes ouvrières a fait des progrès depuis lors : mais les fascismes auraient-ils été aussi aisément plébiscités si ces trois exigences avaient, en 1920-1930, affirmé leur vitalité dans les principaux prolétariats du monde? C'est en idéalisant le peuple qu'on l'a perdu. Sans se contredire, Proudhon pouvait écrire à Madier-Monjau : « Vous avez le culte du peuple, mon cher Madier, il faut absolument vous défaire de cette fausse religion [65]... » Et encore : « Ce que nous entendons par Peuple est toujours et nécessairement la partie la moins *avancée* des Sociétés, partant la plus ignorante, la plus lâche, la plus ingrate [66]. » En idolâtrant cette ignorance, au lieu d'améliorer le pouvoir, on le déprave : est-ce aimer le peuple que de flatter l'abjection où ses oppresseurs ont abaissé les plus malheureux des siens? Si démocratie est raison, démocratie doit se rendre d'abord au sens de *démopédie*, éducation du peuple [67].

Pour l'instant, humble jusqu'à l'effacement, il baisse les yeux et le front devant ceux qui lui distribuent ses salaires et se dissimule sans dignité derrière ses tuteurs. Rien n'est moins démocrate que lui : une sorte de goût morbide de la

64. *Capacité...*, Œ., 56 s.
65. *Correspondance*, V, 111.
66. *Correspondance*, IV, 221, 227.
67. Cf. *Justice*, II, Œ., 164; *Corresp.*, IV, 192.

tyrannie le conduit par plusieurs voies à s'asservir. D'abord cet idéalisme instinctif où il se complaît. « Il s'appelle le le Peuple, la Nation, la Masse... Il a horreur des divisions, des scissions, des minorités... il maudit, comme attentatoire à sa Majesté, tout ce qui peut partager sa volonté, couper sa masse, créer en lui diversité, pluralité, divergence. » Toujours le même idéal de concentration, de centralisation : une collectivité indivise, un suffrage universel indivis, d'où surgit une assemblée indivisée qui produit un gouvernement indivis, lequel gouverne une nation indivise : tout le jacobinisme, tout le système de centralisation, d'impérialisme, d'absolutisme sort de cet idéalisme populaire. La démocratie, ainsi pensée, tend de sa nature à la centralisation. Et comme toute mythologie suppose des idoles, le peuple « s'improvise des dieux, quand on ne prend pas soin de lui en donner ». Ce sont les bourgeois qui ont fait les libertés : les masses ont fait Robespierre et Napoléon [68]. Les fascismes couronnent ce que M. Maxime Leroy a si heureusement appelé la « démocratie régalienne », ils n'en prennent qu'en apparence le contre-pied. Un Proudhon, un Bakounine ont été ici plus clairvoyants que Marx : ils les ont explicitement annoncés, sous leur forme ouvrière comme sous leur forme bourgeoise. Toute démocratie massive est dans la perspective du fascisme, elle le prépare.

LA DÉMOCRATIE BOURGEOISE

Quand elles ne vont pas jusqu'à ces extrêmes, les masses se font représenter par des députés bourgeois. Ainsi ont-elles fait en 1789 ; résultat : l'Empire. Ainsi ont-elles fait en 1848; résultat : le 2 décembre. Si nul n'a eu plus de sarcasmes que Proudhon pour un certain optimisme fétichiste de la démocratie populaire, Bakounine se charge, lui, de déconsidérer la démocratie bourgeoise. La première a donné les fascismes, la deuxième est encore notre lot.

Le bourgeois, quand tout va bien, aime les libertés, sage-

68. *Capacité*, Œ., 52 s.; *Principe fédératif*, Œ., 94 s.; *Corresp.*, V. 57.

ment mesurées. Ses intérêts s'en accommodent dans un régime dont il tient les principales commandes. Ce serait une erreur de lui attribuer un goût spontané des dictatures, comme en a le peuple inorganisé. Elles menacent son pouvoir autant que le roi jadis menaçait les féodalités. Quant aux militaires, n'était sur ses filles le prestige du costume, il les trouve bien turbulents et inconfortables. Mais il hait le peuple. Pourquoi? Peut-être parce qu'il voit dans son ignorance, dans sa misère, dans sa brutalité, sa propre condamnation. Parce qu'il sent chaque jour la menace de son ressentiment : il le hait de la sale haine de la peur. Il n'en a pas toujours conscience, mais il se trahit dès que les choses se gâtent. S'est-il laissé porter vers lui par l'entraînement d'une éloquence généreuse, il se ressaisit bientôt : voyez Gambetta, Garibaldi, ces radicaux, tout le radicalisme derrière eux. Il s'est fait religieux, sans goût, le jour où le socialisme a mis sur son drapeau l'athéisme. Se sent-il subitement menacé : on voit le plus paisible se rejeter brusquement vers le césarisme ou le militarisme, auxquels il répugne, voire préférer l'invasion étrangère à la révolution sociale : c'est lui qui a fait le succès triomphal de Louis-Bonaparte en 1848, de Bismarck en Allemagne ; c'est lui qui recherche et protège de tous côtés des chefs, aujourd'hui qu'il sent ses privilèges osciller plus fortement que jamais.

D'un régime politique qui place constamment ces hommes au pouvoir, parce qu'ils ont la force sociale, le talent, le temps nécessaires pour s'y consacrer, qu'est-ce que le peuple peut bien attendre? — Il ne choisira que les bons, dit-on. A quoi les reconnaîtra-t-il? Ils habitent d'autres quartiers, ont un autre langage. Et puis, les mieux disposés, s'ils ne donnent le gage de rompre brutalement avec leur milieu, avec leurs habitudes de vie, pourront avoir, dans le calme des pensées abstraites, dans l'ardeur d'un moment de confiance, une réelle passion de justice : ils seront bientôt repris par leur vie, à mesure que viendront les honneurs, les facilités ; ils fléchiront à la première alerte, n'ayant plus d'autre lien, subitement, qu'avec leur classe dans la peur commune, n'étant plus sensibles qu'aux violences ou aux dangers qui atteignent les leurs : car les haines sociales sont les plus tenaces de toutes [69].

Alors? Élire des ouvriers? Il leur suffira d'entrer dans le gouvernement pour devenir des bourgeois, peut-être plus dédaigneux que les autres, plus durs pour leur ancienne misère.

D'ailleurs n'est-ce pas un leurre de supposer que le peuple puisse atteindre à la capacité politique sans posséder l'égalité économique? Tant qu'il sera économiquement exploité, il ne sera pas soustrait à la pression directe ou au prestige indirect des représentants de la classe privilégiée, son instinct s'égarera, et il continuera de se donner des élections illusoires opposées à ses vrais intérêts [70].

Limitation des électeurs, duperie des circonscriptions, des marchandages, incompétence parlementaire, dictature des minorités, absence de contrôle réel et continu des citoyens, toutes ces tares de la démocratie parlementaire furent à l'époque analysées, dénoncées par Proudhon et ses successeurs bien avant la critique maurrassienne. Elles ont été trop souvent rappelées depuis pour que nous nous y attardions plus longtemps.

Le peuple a parlé! « Je demande donc, comme Rousseau : Si le peuple a parlé, pourquoi n'ai-je rien entendu?... Je n'ai vu qu'une foule tumultueuse sans conscience de la pensée qui la faisait agir, sans aucune intelligence de la révolution qui s'opérait par ses mains.... Ce que j'ai appelé logique du peuple pourrait bien n'être autre chose que la raison des événements. » Dans cette inconscience où il sommeille, il ne sait élire qu'une « aristocratie dégénérée » de bourgeois ou un « patriciat de médiocrités » : exploité par les uns ou par les autres, il reste exploité. Comme ces monarques de façade, le peuple « règne et ne gouverne pas [71]».

69. Bakounine, IV, 171 s., 300 s.; *Empire*, B., II, 301 s., 368 s.
70. *Empire...*, B., II, 311 s.; Proudhon, *Capacité*, Œ., 267 s.
71. Proudhon, *Solution du problème social*, 48 s. — Id., *Idée générale*, Œ., 208 s.

Dans de telles conditions, la *démocratie*, pour garder le langage de Proudhon, ne soutient plus aucun rapport avec la *république*, avec la *réalité* publique, résultante animée et diverse de la réalité vivante du peuple. Elle n'est qu'une *cratie*, une tyrannie parmi d'autres, celle du nombre, un absolutisme, celui des majorités, la plus exécrable de toutes, car elle ne s'appuie pas même sur l'autorité spirituelle d'une religion, sur l'expérience d'une caste, ou sur les prérogatives du talent. Qui osera soutenir que le nombre offre à l'esprit quelque chose de plus rationnel, de plus authentique, de plus moral que la foi ou la force? Qui peut y voir autre chose qu'un plus vaste « jugement de Dieu »? Et j'irai lui livrer ce que j'ai de plus cher, ma liberté, ma foi, les miens, ma vie?

LES GOUVERNEMENTS DU PEUPLE

Qu'on ne fasse pas appel du gouvernement représentatif au *gouvernement direct*. Tant que le peuple reste une masse premièrement indivise, secondement inculte, quand bien même il ne se choisirait pas d'autres intermédiaires, il reste de toute sa masse un intermédiaire entre lui et lui-même, par cette simplification interne et par cette ignorance. Direct ou indirect, tant qu'il y a fait de gouvernement, toute la déformation gouvernementale entre en jeu, le gouvernement fût-il étendu à l'ensemble du corps social. On sait ce que Proudhon a dit de la démocratie : c'est « l'idée de l'État étendue à l'infini [72] » ; il eût ajouté aujourd'hui, en commentant les plébiscites massifs des États totalitaires, qui prétendent se donner une consécration populaire en renouvelant le gouvernement direct : dans une démocratie massive, ce n'est pas le peuple qui plébiscite l'État, c'est l'État diffus qui plébiscite l'État central. La mystification est la plus habile, et la plus cruelle de toutes.

Restent les *gouvernements révolutionnaires*. Ceux-là, au moins, sont de souche directe. Ils ont suivi le renversement même, par le peuple, de ses mandants infidèles, il ne sont

72. *Solution du problème social*, 86; cf. *Idée générale*, Œ., 179 s., 214 s.

pas nés de sa pensée, plus ou moins mystifiée, de ses opérations, plus ou moins truquées, mais de sa colère et de sa volonté tendue. Eh bien, non! L'État révolutionnaire, c'est « la réaction se cachant sous les apparences de la révolution ». Encore une fois, comment l'État, créé pour donner une apparence légale à l'oppression des masses, pourrait-il être l'instrument de leur libération? Un gouvernement *ne peut pas* être, n'a jamais été révolutionnaire. De fait, étudions l'histoire des révolutions, 1789. La bourgeoisie des clubs, des États généraux et de la Convention se distingue par l'énergie du langage : sans la poussée populaire qui la harcèle et au besoin passe par-dessus sa tête, serait-elle allée bien loin? Quand elle fait malgré tout un peu de révolution, elle veut la faire par elle-même, de sa propre autorité, par sa propre puissance, ce qui n'a jamais manqué d'aboutir à deux résultats : de rétrécir excessivement l'action révolutionnaire, car un comité de quelques hommes, si loyal, si intelligent soit-il, est incapable d'embrasser la largeur et de pénétrer les secrets de la vie populaire ; ensuite, de provoquer la révolte et bientôt la réaction dans les masses, car toute révolution imposée par un acte de puissance blesse et s'aliène ceux qu'elle veut conquérir. « Lorsque, au nom de la révolution, on fait de l'État, ne fût-ce que de l'État provisoire, on fait donc de la réaction et on travaille pour le despotisme, non pour la liberté. » Cimourdain pousse Marat qui pousse Danton qui pousse Robespierre : au bout, Thermidor, l'Empire, Lamartine et Ledru-Rollin font le lit du prince Bonaparte. Ainsi finissent-elles toutes quand elles se fourvoient dans l'État.

Bakounine accusait Marx, non sans raison, d'être uni à Bismarck par le « culte quand même de l'État » : nourri dans l'appareil allemand, étatique par excellence, comment l'auteur du *Manifeste* eût-il échappé à la fierté commune de tout Allemand? C'est avec une inquiétude croissante que les premiers Internationaux voyaient la social-démocratie de plus en plus polarisée vers l'idée du *Volkstaat*, de l'État ouvrier. N'entendaient-ils pas Kautsky déclarer avec un cynisme serein que « l'ouvrier jouit de nos jours de plus de liberté qu'il n'en jouira dans la cité socialiste [73]? » Ils ne cessent de multiplier leurs avertissements aux Congrès de l'Internationale. Reconnaissons-leur l'immense mérite d'avoir senti combien le génie populaire authentique était opposé à toute forme d'inquisition et d'oppression. C'est à eux que nous devons de trouver aujourd'hui encore, malgré tant de servitude inculquée par les partis, par les guerres, par les systèmes, une vivace résistance au sein même des masses populaires, et jusque dans l'expérience communiste russe, à ce communisme que Proudhon définissait comme une image limite de l'aliénation de l'individu dans le collectif. L'humeur populaire est spontanément plus prête que l'on croit à joindre l'avenir du peuple au sens de la personne qu'à l'autoritarisme prolétarien.

Retenons, pour écarter des polémiques inutiles, que le communisme visé par Proudhon était un schéma de pensée, une possibilité historique. Il n'y avait alors ni parti communiste ni État communiste, et l'on ne saurait donc transposer purement et simplement la critique de Proudhon aux réalités actuelles. Mais il voyait des tendances se faire jour, et il leur donnait un nom de bataille, comme à l'anarchie qu'il leur opposait. Ces tendances ne sont pas absentes du communisme historique. Mais elles y sont en concurrence avec d'autres, nées de l'expérience et de l'action. Elles sont sa tentation dominante, comme elles sont la tentation dominante de toute force spirituelle centralisée (ainsi l'Église catholique). Ce serait rejeter bien maladroitement le communisme dans cette tentation que de ne pas lui prêter l'espoir qu'il saura la dominer par la vertu même des forces populaires qu'il entraîne.

Proudhon accordait à l'hypothèse « communiste » ainsi définie d'avoir été utile pour que l'on démontrât, avant sa réalisation (pensait-il), son absurdité, et lui était reconnaissant d'avoir affirmé l'identité du politique et de l'économique. Cette concession faite, écoutez l'anticipation qu'il donnait à la « démocratie » communiste :

73. Cité par Niewenhuis, *Le socialisme en danger*, Stock, p. 282.

« Une démocratie compacte, fondée en apparence sur la dictature des masses, mais où les masses n'ont de pouvoir que ce qu'il en faut pour assurer la servitude universelle, d'après les formules et maximes suivantes, empruntées à l'ancien absolutisme :

« Indivision du pouvoir ;

« Centralisation absorbante ;

« Destruction systématique de toute pensée individuelle, corporative ou locale, réputée scissionnaire ;

« Police inquisitoriale ;

« Abolition ou au moins restriction de la famille, à plus forte raison de l'hérédité ;

« Le suffrage universel organisé de manière à servir de sanction perpétuelle à cette tyrannie anonyme, par la prépondérance des sujets médiocres ou même nuls, toujours en majorité, sur les citoyens capables et les caractères indépendants, déclarés suspects et naturellement en petit nombre. »

« Exploitation aristocratique et despotique retournée au profit de la plèbe », l'État communiste n'a d'autre différence avec l'État bourgeois que la destruction de la famille, parce qu'elle est un refuge de la liberté individuelle ; pour le reste, il a retourné contre lui sa propre artillerie. Sa théorie se réduit à cette proposition contradictoire : « Asservir l'individu afin de rendre la masse libre. » Décidément Proudhon, comme Péguy, aura tout dit. Quand naguère un aspect assez fréquent du marxisme s'éclairait à nos yeux comme « un optimisme de l'homme collectif recouvrant un pessimisme de la personne [74] », nous n'avions pas lu encore ce lucide diagnostic de la *Justice* : « La société par elle-même est sainte, impeccable. Toutes les théories communautaires faisant de l'individualité la cause du désordre social, supposent *a priori* cette impeccabilité. L'individu en effet, malgré sa destinée sociale, naissant égoïste, d'ailleurs libre, tout le péril vient de lui ; de lui seul naît le mal. Vis-à-vis de la société qui l'enveloppe et lui commande, la position de l'homme est celle d'un être inférieur, dangereux, nuisible ; et comme il ne peut

74. *Manifeste au service du personnalisme,* voir p. 479.

jamais se dépouiller de son individualité, abdiquer son égoïsme, cet esprit de révolte qui l'anime, comme il ne saurait devenir une expression adéquate de la société, il est, relativement à elle, prévaricateur d'origine, déchu, dégradé. » Ce n'est pas une cité concluait-il, c'est un troupeau conduit par un tétrarque. Et « la personne humaine destituée de sa prérogative, la société s'y trouve dépourvue de son principe vital [75] ».

A mesure qu'il voyait les théoriciens socialistes s'imbiber du marxisme, Bakounine les voyait avec non moins d'effroi se chercher une justification complice, en France, dans la tradition jacobine : « Fouillez dans leur conscience, disait-il à ses amis, vous y trouverez le Jacobin, refoulé dans quelque coin bien obscur et devenu très modeste, il est vrai, mais non entièrement mort [76]. » Un pédantisme ambitieux remonté de Saint-Simon et de Comte aussi bien que des assurances scientistes ou marxistes venait donner à cette outrance doctrinaire la solennelle impassibilité d'une bonne conscience scientifique. Un savant ne connaît que des *objets* d'expérience, il est incapable, par disposition d'esprit, de saisir l'individualité ; prêtre de sa dogmatique, si on lui donne le pouvoir, il ne tardera pas à lui immoler les individualités réelles et vivantes des hommes. Quand même elle se propose la libération des hommes *au bout* de ses œuvres, d'ici-là, la science « les considère tout au plus comme de la chair à développement intellectuel et social ». Laissez ses hommes approcher du gouvernement, ou sa tournure d'esprit pénétrer les hommes de gouvernement, ils ne tarderont pas à traiter les hommes comme elle traite les lapins, et à les écorcher au nom de leur avenir : « Ce sera le règne de l'intelligence scientifique, le plus aristocratique, le plus despotique, le plus arrogant et le plus méprisant de tous les régimes [77]. »

75. Proudhon, *Justice*, Œ., 299 s., *Capacité*, Œ., 77 s.
76. Bakounine, *Lettres à un Français*, II. 224 s., et IV, *passim;* Kropotkine, *Paroles d'un révolté*, 263 s., *La science moderne et l'anarchie*, 125 s.
77. Bakounine, *Empire Knouto-Germanique*, IV, 497.

DU FÉDÉRALISME A LA CITÉ PLURALISTE

Ainsi, dans un sens ou dans l'autre, la pente est fatale : « L'histoire des gouvernements est le martyrologe du prolétariat [78]. » La démocratie, le gouvernement révolutionnaire ne sont pas les premières formes du règne du droit, de la cité populaire, ils sont les derniers avatars du pouvoir, son déguisement le plus hypocrite.

Nous avons dit notre pensée sur l'utopie première qui encadre cette doctrine. Il faut bien avouer ensuite que les analyses qu'elle met en œuvre sont si serrées sur l'histoire, si persuasives, qu'on regrette de voir tant de perspicacité, tant de vérité humaine compromises par l'esprit de système. Le dernier, Proudhon, est là comme toujours, pour nous reprendre quand nous tournons le dos, et apporter les tempéraments de l'intelligence aux excès de sa fougue. Irions-nous jusqu'à dire avec lui que l'État ne peut avoir d'*idée* sans devenir tyrannique, qu'il n'a pas d'être, pas de contenu, mais doit se restreindre à la simple forme du droit. Non sans doute. Et pourtant c'est bien dans ce sens que nous devons chercher la formule de l'État : d'un État qui garde sa finalité sans se substituer aux autorités qu'il tend constamment à usurper, quand elles-mêmes ne font pas appel à sa puissance. C'est sur cette frontière qu'il faut aujourd'hui diriger le travail. Peut-être est-ce beaucoup de se rendre compte qu'il est à faire. La pensée anarchiste, par ses excès mêmes, nous aura rendu le service de nous faire prendre plus vivement conscience de certaines facilités de doctrine ou de certains matérialismes, très florissants parmi ceux qui parlent de spirituel à la manière que nous dénoncions plus haut. Je ne vois plus guère de différence *pratique* entre les formules du *Principe fédératif* et celles de l'État d'inspiration pluraliste dont le personnalisme a plus d'une fois esquissé l'inspiration. L'État, retrouvé par Proudhon au-delà de ses négations premières, est reconnu comme garant des libertés ; la liberté

78. Proudhon, *Idée générale*, Œ., 184.

n'est plus réduite au devoir négatif de ne pas « empiéter [79] », elle est reconnue comme une puissance d'initiative créatrice ; l'État retrouve par elle un contenu spirituel ; destiné qu'il est envers ses œuvres à une sorte de fécondation sans gestation, avec, par excellence, pour attribut « d'instituer, de créer, d'inaugurer, d'installer », et le moins possible, contrairement à la formule ambiguë et dangereuse d'« exécuter ». Nul doute que tout personnalisme doive pousser ses recherches dans ces directions [80].

Que sera la forme nouvelle de cet État au service de la personne? Ce que nous savons bien, avec les anarchistes, c'est qu'il n'a jamais été encore réalisé, nous ajouterions qu'il ne le sera jamais, sous un mode utopique, et qu'il devra être constamment reconquis, même sur de plus souples approximations, à la pente fatale des pouvoirs. Ce que nous savons encore, avec Kropotkine [81], c'est qu'il n'est pas d'exemple dans l'histoire que de nouvelles couches sociales arrivant à la relève des classes défaillantes n'aient inventé de nouvelles formes d'organisation politique marquant de leur génie l'époque qu'elles inauguraient. On raconte que le gouverneur du Dauphiné, Lesdiguières, qui désirait s'assurer la position forte de Barraux, s'apercevant que le duc de Savoie y construisait une forteresse de premier ordre, lui laissa achever les travaux pour s'emparer de l'ouvrage fini, au grand avantage de son budget. L'audace ne réussirait pas avec les appareils d'État modernisés : combler l'État de monopoles et de services centralisés pour occuper ensuite la machine, c'est armer une puissance qui ne connaît, une fois montée, d'autre mécanisme que l'oppression, quels qu'en soient les gestionnaires.

La tendance au self-gouvernement, qui est l'utopie directrice de la pensée anarchiste, est donc une utopie saine, une fois dépouillée de fausse métaphysique. Saint Thomas

79. Cette idée d'*empiètement* a été curieusement analysée par un anarchiste américain, Tucker.
80. Cf. Proudhon, *Principe fédératif*, Œ., 77 s., 145.
81. *La science moderne et l'anarchie*, 316.

lui-même, qui persuadera mieux certains, disait que « le gouvernement est d'autant meilleur qu'une perfection plus grande est communiquée par celui qui gouverne à ceux qui sont gouvernés : or c'est une perfection plus grande que d'être source d'action [82] ».

C'est cette forme, ou plutôt ce principe de gouvernement que Proudhon, après Godwin, et suivi de toute la pensée anarchiste, appela *principe fédératif*. « On ne sait plus en France, écrivait-il en 1863, ce que signifie le mot de fédération, qu'on pourrait croire emprunté au vocabulaire sanscrit [83]. » Que dirait-il aujourd'hui? L'idée paraît anachronique, un peu farfelue, au surplus réactionnaire : l'idée avec laquelle le peuple français a fait la commune au Moyen Age, la révolution en 1789, la dernière Commune en 1871, les mêmes qui défilent au mur des Fédérés la déclarent hérétique parce qu'il a plu à M. Maurras de puiser quelque jour dans cette vieille tradition française. Quand il opposait la *république* à la *démocratie*, c'est ce principe fédératif radicalement neuf que Proudhon affrontait au dernier déguisement du pouvoir. « La république, disait-il sur ses derniers jours, comme pour relier toute sa vie, est une anarchie positive [84]. » Le principe fédératif est devenu pour lui l'équilibre vivant de l'autorité (qu'il accepte maintenant comme inéluctable) et de la liberté; il les tient en respect au sein du principe contractuel et mutualiste. L'autonomie de chacun y est sauvegardée; il n'a plus devant soi ce Léviathan aux exigences indéfinies que lui imposait l'autorité de droit divin ou le contrat social de droit populaire, mais des engagements précis, limités, sous forme de contrats

82. *Sum. Ta.*, I*a*, q. 103, a. 6. On surprendrait beaucoup les anarchistes en leur montrant avec les textes de la tradition et des encycliques que, outrances et idéologies en moins, toute l'orientation effective de leur pensée va dans le sens de la doctrine catholique de l'État. Pour les actes de l'Église sociologiquement prise, c'est une autre question, qui relève de l'histoire, non de l'Église comme telle.

83. Pour tout ce qui suit, voir surtout *Le principe fédératif*, et *La capacité ouvrière*, Œ., 181 s.

84. *Solution du problème social*, 119.

synallagmatiques et commutatifs; en cas de désaccord, il a toujours droit de sécession. Une organisation, voire une hiérarchie s'établit entre ces engagements, mais elle est spontanée, excitée et protégée seulement par l'État, elle ne résout pas la complexité des pays, des situations et des hommes en une unité simplifiante et opprimante, elle se forme du simple au complexe (processus, soit dit entre parenthèses, qui prend une allure singulière d'authenticité pour des hommes formés en pleine orthodoxie évolutionniste). La hiérarchie gouvernementale est retrouvée, mais établie carrément sur sa base au lieu d'être posée sur son sommet. La société est encore centralisée dans toute sa structure, mais la centralisation s'effectue de bas en haut, ou si l'on veut de la circonférence vers le centre, suivant son mouvement spontané, sans que chaque fonction cesse de se gouverner par elle-même : groupements territoriaux ou communes, groupements fonctionnels ou fédérations de métiers, groupements innombrables des affinités personnelles trouvent une harmonie changeante dans les combinaisons multiples de cet ordre pluraliste.

En plus de ce droit social spontané, Proudhon introduit, dans l'État même qu'il conserve, une sorte de second droit fédératif intérieur à l'État. Il le divise en grands corps fonctionnels (Tribunaux, Finances, Postes, etc.) se gouvernant chacun par lui-même, s'arrêtant les uns les autres dans leurs tendances à l'abus, ce que M. Gurvitch appelle très heureusement une « fédéralisation fonctionnelle de l'État », superposée à la fédération locale des territoires. Ces services publics ne sont pas directement dépendants de l'autorité centrale, il suffit que l'État les surveille et contrôle et soit « le directeur suprême du mouvement [85] » : Proudhon avait fini par domestiquer ce même dragon qu'il avait juré d'exterminer [86].

85. Gurvitch, *Idée de droit social*, 402-4.

86. Pour tout ce qui précède, cf. Proudhon, *Principe fédératif*, 70 s., 196 s. et *passim; Capacité ouvrière*, 283 s.; *Justice*, II, Œ., 125 s.; *Confessions*, Œ., 68. — Kropotkine, *Paroles d'un révolté*, 129.

Entre les fédérations, les frontières sont dévalorisées par le droit perpétuel d'agrégation et de sécession que possèdent les éléments fédérés; la fédération peut ainsi s'agrandir, non par une conquête pour laquelle sa nature la laisse « sans forces », mais par agglomération libre, les attributions de l'autorité centrale, contrairement à ce qui se passe dans les États centralisés, diminuant au fur et à mesure que la fédération s'étend. Il est bien entendu que la fédération est impossible entre les États actuels, centralisés, bureaucratiques, et par là même militaires : Bakounine dénonçait déjà au Congrès de l'Internationale à Genève, en 1867, l'impossibilité de constituer les États-Unis d'Europe sur les grandes nations étatistes. C'est sur des communes revitalisées que se constitueront les plus vastes fédérations. Qu'on ne dise pas qu'une société granulaire perdra le sens de l'universel. Et le Moyen Age? La commune moyenâgeuse, il est vrai, cherchait à se circonscrire dans ses murs : mais elle était greffée sur une économie artisanale, de court rayon. Le XIXe siècle a étendu la solidarité humaine. Les grands centres, qui y sont les plus sensibles, agiront comme des « foyers d'appel » pour élargir les vues des centres secondaires.

Le fédéralisme politique doit être soutenu par un fédéralisme économique. Le pouvoir n'ayant pour objet que de protéger et de promouvoir la Justice au sein de la société, si la société est en état de déséquilibre économique, elle se refuse à lui « jusqu'à ce qu'enfin, n'étant plus arc-bouté, ni par la société qui se retire, ni par la division de ses fonctions, il perd l'équilibre et tombe [87] ». C'est pourquoi Proudhon voulait organiser, dans la masse du corps social, la « fédération agricole-industrielle », extérieure à l'État fonctionnel, constituée, comme la cité politique, sous l'idée de la mutualité, qui devient ici l'idée du commerce ou de l'échange compensé.

Ce n'est pas le lieu d'étudier l'application qu'ont faite de

87. *Justice*, II, Œ., 17-18, *Capacité*, Œ., 200.

ces principes les économistes anarchistes. Proudhon en tire un système des loyers, des chemins de fer, de crédit mutuel. Kropotkine, en s'opposant à l'idéalisation de la grande usine, demandait la « décentralisation industrielle [88] » et la liaison de l'usine au village, l'infériorité actuelle de la petite industrie provenant, pensait-il, d'une organisation inférieure de la vente, et non pas de la production. Les anarchistes, en cette matière, ne sont pas des forts en thème : Marx reprend ici le dessus sur plus d'un point. Retenons seulement cette magnifique formule qu'ils ont donnée de ce qu'on pourrait peut-être appeler sans jeu de mots un libéralisme collectiviste, et qui est en tout cas une formule très approximative de l'économie pluraliste : « que la liberté est la première des forces économiques, que tout ce qui peut être accompli par elle doit lui être laissé; mais que là où la liberté ne peut atteindre, le bon sens, la justice, l'intérêt général commandent de faire intervenir la force collective, qui n'est autre que la mutualité même; que les fonctions publiques ont été précisément établies pour ces sortes de besoins, que leur mission n'est à autre fin ». Car « il serait absurde de sacrifier la richesse, la félicité publique, à une liberté impuissante [89] ».

Mais alors, que deviennent ces charges à l'arme nue contre la propriété, qui, de toutes les attaques anarchistes, semble bien la plus sensible au cœur de nos contemporains? Dieu, État, propriété : la littérature anarchiste radicale a toujours indissolublement uni ces trois termes comme trois aspects strictement identifiables de l'absolutisme. Que cette vision simplifiée ait pris chez quelque meurt-la-faim une allure plus brutale encore, c'était à prévoir. Mais quand on aura évoqué la bande à Bonnot, peut-être un effort d'intelligence est-il encore possible. De Proudhon, on a toujours retenu la phrase trop fameuse du Premier Mémoire : « La propriété, c'est le vol. » On a oublié la réponse à Blanqui qui lui sert de préface : « M. Blanqui reconnaît qu'il y a

88. Kropotkine, *Champs, usines, ateliers*, Stock.
89. *Capacité*, Œ., 104, 203.

dans la propriété une source d'abus et d'odieux abus; de mon côté, j'appelle exclusivement *propriété* la somme de ces abus. » Parmi dix autres affirmations analogues, on a omis de rappeler que dès 1848 [90] il écrivait : « La propriété, quant à son principe ou contenu, qui est la personnalité humaine, ne doit jamais périr : il faut qu'elle reste au cœur de l'homme comme stimulant perpétuel du travail, comme l'antagonisme dont l'absence ferait tomber le travail dans l'inertie et la mort. »

On ne comprend un anathème qu'à condition de le replacer dans son contexte historique. L'idée socialiste, en revêtant au passage bien des sens, a fait du chemin depuis un demi-siècle. Sous l'influence des situations économiques et d'un réveil, dans beaucoup de milieux, du sens social, on s'est habitué à ses thèmes. Mais en ce temps! Il faut lire les solennelles invectives de M. Thiers et de M. Bastiat, les pauvretés péremptoires de Victor Cousin pour savoir ce que, sous ce mot de propriété, la bourgeoisie louis-philipparde et impériale réfugiait d'absolutisme entêté et de dureté sociale. Cette provocation pédante, cet autoritarisme de droit divin injuriant à la misère par ses livres, par sa presse et par ses hommes n'appelaient guère la compréhension. Proudhon finit par justifier une propriété fédéraliste et mutuelliste comme le meilleur moyen de défendre l'individu contre l'État [91]. Mais ceux qui eurent plus d'influence directe sur les masses anarchistes — Bakounine, Kropotkine — maintinrent jusqu'au bout leurs sarcasmes contre la petite propriété privée. C'est alors que le mythe de l'*expropriation* [92] devint un des mythes directeurs de l'anarchie. Brutalement entendu, il satisfait à la fois le simplisme et les ressentiments

90. Dans *le Droit au travail et à la propriété*, p. 50.

91. Cf. *Théorie de la propriété*, qu'il est si commode d'oublier quand on parle de Proudhon.

92. Kropotkine, *Conquête du pain*, Stock, 56 : « L'expropriation doit porter sur tout ce qui permet à qui que ce soit — banquier, industriel ou cultivateur — de s'approprier le travail d'autrui. La formule est simple et compréhensible. »

plus ou moins justifiés du militant moyen. Il n'était cependant question, pour les doctrinaires, que d'exproprier ce que Proudhon appelait l'aubaine, c'est-à-dire l'exploitation du travail d'autrui. L'expropriation ne devait pas toucher à la propriété individuelle du petit paysan (on pensait surtout propriété foncière alors : la seule dont parle Proudhon dans le Premier Mémoire) tant qu'il la cultiverait lui-même avec ses enfants, sans recourir au travail salarié [93]. La tactique anarchiste, sauf danger social, étant de toujours attendre que l'individu se rende compte des avantages qu'on lui propose, Kropotkine pensait que le petit paysan, en voyant de joyeuses bandes ouvrières faire prospérer les terres collectives expropriées, se rendrait bien vite et sans contrainte à l'évidence.

Accomplie cette opération violente contre l'usure au travail, — et il redoute fort que par timidité on ne débride pas assez la plaie pour parer à tout retour du mal, — l'anarchisme retrouvait, dans son image de la vie économique, ce sens confus de la personne dont nous le voyons toujours à quelque degré animé.

Il se manifeste dans sa toute première orientation. Le but de l'économie n'est pas, chez les anarchistes, comme dans le marxisme, un schéma rationaliste, une organisation scientifique de l'univers. Pourtant Dieu sait s'ils sont pétris de scientisme! Mais l'ordre de la science, pour eux, est moins un ordre de l'homme à fabriquer, qu'un ordre de la nature à retrouver. Non qu'il y ait chez eux aucun arcadisme ou préjugé anti-industriel, sauf peut-être, tangent au mouvement, chez certains disciples de Fourier et de Tolstoï. Mais ils pensent plus vaste et plus humain que l'industrie. Lisons ce titre : « *Champs, usines, ateliers, ou l'industrie combinée avec l'agriculture et le travail cérébral avec le travail manuel.* » C'est long à dire, mais cette usine placée en tampon entre le champ et l'atelier, cet effort vertueux pour rejoindre les morceaux disloqués de l'homme économique, Pierre Kro-

93. Kropotkine, *Paroles d'un révolté*, 330.

potkine nous y découvre une volonté touchante de sauver la personne dans ses œuvres. Quand ils rêvent, ils ne rêvent pas de rationalisation, mais de surabondance. Les rêves de Marx sont des rêves de professeur, leurs rêves sont des rêves d'enfants : d'un côté l'armée des travailleurs disciplinée comme un rouage; de l'autre des hommes libres, turbulents de désirs, la « prise au tas ».

Ce même esprit se retrouve dans leur formule de base : « De chacun selon ses moyens à chacun selon ses besoins. » Le besoin, la consommation, prime la production. Ce primat, Kropotkine, y voit l'âme de la commune moyenâgeuse. Il reste sa perspective constante : de cet observatoire, le désordre de la plus-value le préoccupe moins que celui de la sous-consommation, la conquête du pouvoir que la « conquête du pain », la dictature du prolétariat que le droit de vivre. Il tient mordicus à garantir la liberté de cette consommation souveraine [94]. C'est au nom de cette liberté que les anarchistes se sont toujours opposés à la formule communiste : « à chacun selon ses œuvres », incarnée dans le système des bons de travail. Aussi par le sentiment d'une certaine gratuité inhérente au travail humain, de l'impossibilité, presque du sacrilège, qu'il y aurait à vouloir en donner une mesure. « Si la société bourgeoise dépérit ..., c'est faute d'avoir trop compté. C'est faute de nous être laissé entraîner à ne *donner* que pour *recevoir*, c'est pour avoir voulu faire de la société une compagnie commerciale basée sur le *doit* et *avoir*. » De même que leur mythe négatif directeur en matière économique est l'expropriation, leur mythe directeur en matière d'anticipation est la *gratuité* plutôt que l'organisation. Petit à petit ils la voient s'étendre : les ponts, la route, les jardins, l'école, tous fondés sur le principe : « Prenez ce qu'il vous faut. » Elle pénètre les opérations même d'achat et de vente dans des institutions comme le menu à prix fixe et la table d'hôte (symbole célèbre dans les annales de la propagande anarchiste!), les

94. Kropotkine, *Conquête du pain*, 82, 231 s.; *L'Entr'aide*, 195 s.

abonnements de chemin de fer, le tarif uniforme dans les postes. Elle s'appuie à une psychologie pratique : le travail volontaire est toujours meilleur que le travail commandé et tarifé. Vouloir l'évaluer, dans l'enchevêtrement inextricable de la production moderne, ce serait jeter sur le monde du travail un réseau de tracasseries, de paperasses, et finalement d'inquisition. L'idée révèle d'ailleurs son ridicule : payera-t-on plus le médecin qui guérit que le médecin qui échoue? A mesure que l'homme vieillit n'est-il pas capable de moins d'œuvres avec plus de besoins? Et le bibliothécaire me demande-t-il quels services j'ai rendus à la société pour savoir combien d'ouvrages il m'accordera? S'ils avaient eu plus de lettres sacrées, nos anarchistes n'auraient pas manqué d'évoquer ici la métaphysique incluse dans la parabole des ouvriers de la onzième heure.

L'utopie, si séduisante, est ici cependant caractérisée. Les mythes sur le règne de l'abondance, rafraîchis par M. Duboin, portent avec évidence contre un régime de malthusianisme économique, et sont peut-être utiles pour faire contrepoids au mythe grossier de la surproduction. Il n'empêche que la marche à l'abondance subit, par le développement des besoins et le jeu de la production, un tel freinage automatique, qu'il suffirait à rejeter la « prise au tas » dans les régions d'où, de temps à autre, le mouvement perpétuel descend dans les espoirs des hommes. La naïveté dominante de cette utopie n'est d'ailleurs pas dans une erreur de date. Elle est de croire que le problème de la distribution soit surtout un problème de quantité, alors qu'il est plus encore, et de plus en plus à mesure que les hommes seront libérés des soucis primaires, un problème d'affectation. Tout serait bien si les désirs des hommes étaient des désirs parallèles, s'accroissant indéfiniment en hauteur. Mais les désirs des hommes sont des désirs jaloux, qui se recoupent, se concurrencent, se superposent. Ce n'est pas, contrairement au lieu commun, d'avoir une vue trop individualiste de l'homme qu'il faut faire ici grief aux anarchistes, mais bien au contraire de n'avoir pas assimilé que l'homme est *aussi* individu, c'est-à-dire exclusivisme et jalousie. Le peuple est modéré dans ses désirs, dit Kropotkine, Oui : tant qu'il est peuple. Mais voyez les hommes s'enrichir : l'abondance des biens ne fait que surexciter la turbulence du désir. Si bien qu'on peut le dire sans paradoxe, l'abondance dût-elle faire des progrès de géant, une règle sera *de plus en plus* nécessaire à ce désordre.

S'ils ne réussissent à éliminer la nécessité de cette règle, du moins les anarchistes l'orientent-ils, par leur utopie, dans une direction heureuse.

Ayant plus que d'autres le souci de la liberté, ils auront eu le mérite de tenter une dissociation de l'idée de collectivisme et de l'idée de contrainte ou de consommation dirigée. Certaines formes de production collective ne sont nullement incompatibles avec la liberté du consommateur : sommes-nous moins libres parce que le gaz nous est distribué en commun ou parce que nous faisons nos achats dans des magasins à succursales au lieu de les faire à de petits boutiquiers? Aujourd'hui où plus personne ne nie que les secteurs croissants de la production soient en fait collectivisés, et où la collectivisation nous apparaît précédée de telles menaces pour l'homme, comment ne sentirions-nous pas une parenté avec les hommes qui les premiers ont cherché si maladroitement que ce soit, à accorder vie collective et liberté [95]?

95. Il y a eu longtemps un flottement entre les mots de *collectivisme* et de *communisme*, qui ont fini par échanger leur sens. A l'origine, les membres de la 1re Internationale, Varlin, Guillaume, Bakounine et leurs amis s'attribuèrent le qualificatif de « collectivistes » pour désigner leur communisme anti-autoritaire. Et longtemps ils flétrirent sous le nom de « communisme » la doctrine autoritaire que précisément ils combattaient. Ce n'est que plus tard qu'ils prirent le nom de *communistes anarchistes* ou de *communistes libertaires*. Dans le *Traité* de Charles Gide, les doctrines que nous exposons ici sont appelées *communistes* et le marxisme *collectiviste*, tout à l'inverse de l'emploi originel des deux mots. Kropotkine (*Conquête du pain*, 32), le dernier en date des grands écrivains anarchistes, applique le terme de *collectivisme* au marxisme. Cf. *La science moderne et l'anarchie*, 82-3. — Guillaume, *op. cit.*, IV, 15-16.

Leur seconde indication précieuse est la nécessité de rassembler l'homme à nouveau. Ils le voient assez disloqué déjà, pour croire que l'on doive encourager la division du travail et la spécialisation indéfinie, chemins vers le gigantisme industriel et la centralisation, et à travers eux vers l'État totalitaire politico-industriel qui fera l'union des deux empires. Ont-ils toujours cherché l'antidote dans la bonne direction? En réhabilitant l'atelier, la commune de village où l'usine est rattachée aux champs [96], l'homme complet ouvrier-paysan et intellectuel-manuel, ont-ils, comme les marxistes le leur reprochent, été dupes d'une imagerie « petite-bourgeoise », ou n'ont-ils pas plutôt pressenti, sous des formes sentant encore un peu leur vieille France, une exigence à laquelle ils ne trouvaient pas à l'heure d'expression technique, mais à qui l'avenir pourrait donner une réalité? La réponse appartient à la fois à l'évolution de la technique et aux recherches dont l'idée trop délaissée d'une décentralisation non régressive pourra dans l'avenir être l'objet.

3. *De l'anarchie des mondes*

A chaque instant, dans ses constructions sociales et économiques, nous voyons l'inspiration anarchiste frôler la découverte de la personne, et chaque fois quelque invisible obstacle l'en écarte. Peut-être comprendrons-nous mieux, tout à l'heure, ses bienfaits et ses méfaits dans le mouvement

96. Ne pas confondre leur conception de la commune avec celle des petites communes communistes qui tentèrent leur chance, sous l'impulsion de Cabet notamment. Kropotkine (*La Science moderne...* 152 S.) en fait un procès sévère; elles n'ont pu vivre : 1° parce qu'elles sont restées des petites communes closes dans un monde étranger, alors que la commune ne peut prendre son air que dans le grand courant fédératif; 2° parce qu'elles se sont donné une constitution autoritaire; 3° parce qu'elles furent uniquement agricoles, alors que la commune doit être une association ville-campagne.

ouvrier, si nous nous arrêtons auparavant quelque peu sur ses perspectives philosophiques dernières.

Nous les avons plus d'une fois pressenties sous la critique de l'autorité et de l'État. Sont-elles plaquées sur cette critique comme un vêtement d'époque plus ou moins bien adapté à un système d'action? Aucunement, Kropotkine intitule son principal exposé doctrinal : *La science moderne et l'anarchie*. Le titre veut dire plus qu'il ne paraît. L'anarchie n'est pas seulement une doctrine politique, « l'anarchie est une conception de l'univers, basée sur une interprétation *mécanique* des phénomènes, qui embrasse toute la nature, y compris la société[97] ». Elle est le résultat inévitable de tout le mouvement des sciences naturelles qui s'amorça sur le naturalisme du XVIIIe et s'épanouit tout le long du XIXe. Il fut réservé à Kropotkine (il était orfèvre) de dessiner le plus nettement cette synthèse entre l'anarchie politique et une philosophie précise de l'univers. Sa lignée : les matérialistes du XVIIIe, Spencer (sur qui *La science moderne* donne un long appendice-profession de foi), Darwin, que *l'Éthique* posthume fait le père de toute morale moderne, et Comte (le premier Comte), pour le nettoyage de la théologie et de la métaphysique. Proudhon et Bakounine se réclament plus exclusivement de Comte[98]. Avec des variantes, leur foi est la même à tous : la science positive, connaissance absolue du seul absolu qui existe. Ce n'était pas très original, ni en 1850, ni en 1880. Ce qui l'est un peu plus, c'est l'interprétation cosmique que dans cette foi intrépide ils donnaient de l'anarchie.

Suivons-la, et nous reconnaîtrons au passage toutes les connaissances que nous avons faites dans le règne politique. Réalité, aliénation, pouvoir, nous y sommes : la métaphysique agit selon la méthode des États centralisés, aristocratiquement et autoritairement. Elle *tire* de la nature des lois et des prétendus faits qui ne sont pas dans la nature, en forme un système absolu, l'accroche à un Absolu, et l'impose à la

97. *Science moderne*, 46.
98. Pour Bakounine, cf. notamment B., V, 153 s.

nature de haut en bas[99]. Selon Proudhon, la déduction est une manière d'oppression de l'esprit et le moyen terme du syllogisme y apparaît comme une sorte de bureaucrate inutile, encombrant et prétentieux. A côté des théistes, monarchistes de la pensée, la philosophie aussi a ses démocrates et ses gouvernements révolutionnaires. Ce sont ceux qui, ayant détrôné Dieu, y ont substitué, mais toujours comme extérieure et transcendante à l'univers, une Nature aux lois de laquelle les choses sont censées *obéir*. Tant qu'il garde une Vérité devant laquelle il s'incline, écrivait déjà Stirner[100], l'homme reste serf. Ce Pouvoir naturel devant lequel tous les hommes seraient censés égaux se réfugie parfois, comme chez les positivistes eux-mêmes, dans le règne inaccessible de l'Inconnaissable ; il se dissimule plus communément dans l'idée d'une « nature intime » des choses. Bakounine ne l'a pas dit, mais cet Inconnaissable vous a un air lointain de gouvernement représentatif, et cette nature intime, qui semble si proche du peuple des objets, empeste la mystification des gouvernements révolutionnaires. Or qu'est-ce qu'une nature en dehors de ses manifestations? « Aucune chose ne peut avoir réellement dans son intérieur une nature qui ne soit manifestée en son extérieur. » Toute chose n'*est* que ce qu'elle *fait*. Il y va de l'essentiel : « Il s'agit d'un intérêt suprême, celui de l'exclusion réelle et complète, de la destruction finale de l'absolu, qui cette fois, ne se contente plus seulement de se promener comme un fantôme lamentable sur les confins de notre monde visible, mais qui... veut s'introduire sournoisement au fond de toutes les choses connues, de nous-mêmes, et planter son drapeau au sein même de notre monde terrestre. » Il ne manque plus que de laisser les théologiens s'emparer de cette intimité des choses « pour y loger leur Bon Dieu ». C'est un dernier reste de langage métaphysique (autoritaire) que de parler même de la loi comme d'une régulation extérieure aux choses. « La loi, l'action, la propriété constituent l'être même de la chose.

99. Bakounine, *Fédéralisme...*, I, 68 s.
100. *L'Unique et sa propriété*, cit. par Eltzbacher, note 131.

La chose elle-même n'est rien que cette loi. En la suivant, elle manifeste sa propre nature intime, elle est. D'où il résulte que toutes les choses réelles dans leur développement et dans toutes leurs manifestations sont *fatalement* dirigées par leurs lois, mais que ces lois leur sont si peu imposées qu'elles constituent au contraire tout leur être [101]. »

Vous vous croyez aux confins désertiques de l'abstraction, nous sommes dans les jardins fleuris de la fédération. Eh oui ! « Vous nous accusez d'utopie? Eh bien, l'anarchie est la *tendance* naturelle de l'Univers, la fédération est l'ordre même des atomes. » Voyons comment. La philosophie positive est démocratique. Depuis Comte, au lieu de dépendre de l'Absolu, elle s'organise de bas en haut, librement. La nature n'est pas un tout artificiel et séparé, elle est la « vie, la solidarité et la causalité universelle [102] », la résultante, et non la cause, de l'infinité des actions et des réactions. Peut-être a-t-elle une loi unique : nous ne la connaîtrons jamais, et si nous voulions la saisir, gare à l'abstraction, qui mène au Néant : à Dieu. Non, l'unité et la généralité de la nature se distinguent précisément de l'unité et de la généralité métaphysique ou théologique en ce qu'elle ne s'établit pas, comme ces deux dernières, sur l'*abstraction* des détails mais au contraire et uniquement sur la *coordination* des détails. « La grande Unité scientifique est concrète : c'est l'unité dans l'infinie diversité. L'Unité théologique et métaphysique est abstraite : c'est l'unité dans le vide [103]. Kropotkine serre de plus près encore les analogies : L'anarchie n'est qu'une des branches de la philosophie nouvelle qui s'annonce. La science est passée de l'héliocentrisme à l'étude de l'infiniment petit, à qui elle demande maintenant d'expliquer le système solaire, dont l'harmonie n'est qu'une résultante de ces mouvements innombrables. Le biologiste ne parle plus que d'une fédération d'organes, le psychologue d'une

101. Bakounine, *Considérations philosophiques sur le fantôme divin, sur le monde réel, et sur l'homme*, B., III, 370 s.
102. *Id.*, *Fédéralisme...*, I, 69.
103. Bakounine, *Considérations...*, III, 217 s., 320 s., 372 s.

fédération de tendances. Donc « rien de préconçu dans ce que nous appelons l'harmonie de la nature. Le hasard des choses et des rencontres a suffi pour l'établir ». Elle ne dure qu'à condition de se modifier continuellement ; si elle est comprimée, la force cosmique fait éruption comme les révolutions [104]. Il ne s'agit plus, comme le veulent les sociaux-démocrates, de thèse, antithèse, synthèse. La méthode dialectique (ici nous retrouvons Proudhon) est gouvernementale, la « méthode naturaliste » est la seule méthode scientifique, et en même temps la seule parfaitement mutuelliste. L'anarchie pure, en matière métaphysique, se nomme l'immanence pure.

Mais encore, quelle est la substance de cet univers fédératif? La matière, et la matière seule. Ce mot avait encore un sens, sans doute, à cette heureuse époque. On nous avertit, en tout cas, que ce n'est pas la « vile matière » à qui les spiritualistes ne concèdent hypocritement que la stupidité pour la déclarer ensuite incapable, mais une matière qui peut tout (alerte aux « natures intimes »!), donc produit tout : la pensée et l'histoire, — Cabanis, Marx, passons. Comment? C'est simple et correct, cela « se conçoit parfaitement » : « C'est un mouvement tout à fait naturel (*sic*) du simple au composé, de bas en haut ou de l'inférieur au supérieur ; un mouvement conforme à toutes nos expériences journalières... » Le *sic* n'est peut-être pas très philosophique, ni la coupure d'une citation aussi majestueuse, mais sommes-nous encore dans de la philosophie?

Et cependant le même Bakounine ajoute des choses bien pertinentes quand il oppose, à cette montée de la matière vers la complexité totale de l'univers, les absurdités de certain spiritualisme qui nous est aussi un adversaire familier [105].

104. Kropotkine, *L'anarchie, sa philosophie, son idéal*, 6 s.

105. Le plus somptueusement chamarré de lieux communs (et de décorations) fut, à l'époque, celui de Victor Cousin. « Qu'on s'imagine, nous en dit Bakounine, une vinaigrette philosophique, composée des systèmes les plus opposés, un mélange de Pères de l'Église, de scolastiques, de Descartes, de Pascal, de Kant et de psychologues écossais,

On y reconnaît la doctrine marxiste de l'aliénation. Pour ne s'appliquer qu'à une caricature de l'esprit (qui depuis longtemps il est vrai le représentait dans les places officielles) elle n'en est pas moins en soi pertinente. Ce sont ces spiritualistes-là qui, « en divinisant les choses humaines » — entendez : en vidant le monde de la présence de Dieu —, consacrent le triomphe sur terre, dans ce monde vidé, du matérialisme le plus brutal. Cette transcendance dont on a renié l'incarnation, cet « esprit » qu'on a voulu séparer du monde, rejeter vers les lieux hauts pour être plus tranquille dans les lieux bas, par un cruel retour des choses, voilà qu'il se découvre toutes les absurdités d'un esprit qui devient *localisé*, au lieu d'être *présent* : un esprit qui doit se fragmenter en parcelles (les âmes), un esprit qui, où il va, expulse l'occupant (Dieu dont « la seule apparition sur terre » provoque l'anéantissement de l'homme). Mystifié par le contresens commun à toutes les réactions anti-idéalistes de l'époque, Bakounine ne voyait pas que sa critique de l'« esprit » était en fait la critique d'une certaine notion savamment fétichiste de quelque matière subtile, la critique d'un matérialisme à visage spiritualiste. Inversement, son « matérialisme » est, en intention profonde, un désir de réalisme spirituel maladroitement habillé en matérialisme. Dans le « système idéaliste », nous dit-il, puisque l'« esprit » refoule l'homme au lieu de l'élever, le développement historique de l'homme, qui commence par un *salto mortale* inexplicable de l'Esprit pur dans une matière stupide, ne peut être qu'une chute continue, à mesure qu'il constitue plus fortement son Dieu. Dans le « matérialisme » au contraire, dont la matière est mobile, vivante, intelligente, l'homme s'élève progressivement au-dessus de l'animalité. Et comme (voici la dialectique qui nous sauve d'un monisme simpliste) tout déve-

le tout superposé sur les idées divines et innées de Platon et recouvert d'une couche d'immanence hégélienne, accompagnée nécessairement d'une ignorance aussi dédaigneuse que complète des sciences naturelles... » (*Empire*, B., III, 131; cf. aussi 173 s.). La réalité est pire : s'il ne s'agissait que de mélange!

loppement est négation du point de départ, cette histoire est une « négation progressive de l'animalité de l'homme par le développement de son humanité ». L'homme est une négation, une belle révolte qui avance sur une trame illimitée de vie [106].

Si c'était ici la place de jouer serré sur le plan philosophique, nous découvririons vite dans cette « matière » en effet très peu stupide une « nature intime » des plus riches, si riche que peut-être elle ne suffirait plus à la porter, et dans cette « négation » dialectique des origines une intervention « transcendante » dont il faudrait chercher l'origine. Dans cette étude où nous cherchons plutôt le rapport des idées aux hommes que les relations dialectiques entre les idées, il importe de souligner quelle nostalgie, finalement, traduisait ce « matérialisme », quel besoin de présence, de solidité, quel sens authentique, sinon de la vraie réalité de l'esprit, qui est personne, du moins de la fausse réalité du « spiritualisme » bourgeois.

Cela est si vrai que Bakounine ne se sentait pas à l'aise, loin de là, dans le matérialisme qu'il recevait de la science impersonnelle de Marx. Il n'y a pas d'être intime dans les choses ? Eh bien, si, tout de même! Et il est insaisissable par la science. Ce n'est pas « l'être en soi » de Littré, « c'est au contraire le côté le moins essentiel, le moins intérieur, le plus extérieur à la fois, le plus réel et le plus passager, le plus fugitif des choses et des êtres : c'est leur matérialité immédiate, leur réelle individualité, telle quelle se présente uniquement à nos sens, et qu'aucune réflexion de l'esprit ne saurait retenir, ni aucune parole ne saurait exprimer ». Ici « la science perd son latin et baisse pavillon devant la vie ». La science positive universelle dût-elle être atteinte, elle ne le sera pas avant un siècle : en bonne logique, dans un monde qui n'est pas totalisable, mais anarchique et sériel, elle ne devrait jamais l'être. De toute manière, elle restera impersonnelle. Elle est la boussole, elle n'est pas le voyage. Elle

106. *Empire...*, B., III, 18-80.

est le commentaire, elle n'est pas la création. Quand un savant veut créer, tout ce qu'il crée est pauvre, privé de sang ; ses abstrations sont « vraies », avantages sur la métaphysique, — mais restent des abstractions : elles nous découvrent les causes générales des souffrances individuelles et les conditions générales de l'émancipation réelle des individus vivant dans la société ; elles laissent passer « la matière vivante et souffrante de l'histoire », et, pour violenter l'émancipation réelle, il faut prêcher en quelque manière « la révolte de la vie contre la science, ou plutôt contre le gouvernement de la science [107] ».

Quelle « Confession », renouvelée de la Confession politique au tsar, nous dira les débats intimes que dut livrer dans cette tête passionnée la conception héroïque de la vie qui lui était naturelle, et le morne appareil qu'il recevait du scientisme positiviste [108] ! La synthèse est dressée, le ton assuré, mais les contradictions, les repentirs, les disparates, sont plus chargés de sens que les arrangements. Une fois décidée cette première démarche confuse qui nous éloignait d'un spiritualisme impersonnel et vain, nous voilà rejetés, aussi loin de l'esprit vivant, dans un autre impersonnalisme. Ce n'est pas en faisant chatoyer la matière qu'on lui donne plus de réalité, qu'on l'approche plus près de l'homme. La vie elle-même — nouvel effort pour échapper à l'inhumain —, quand elle n'est pas la splendeur de la personne vivifiant dans son acte la matière, n'est encore qu'une puissance impersonnelle et oppressive : vitalismes, racismes, visages animés du matérialisme. Par un effort encore, Bakounine s'élève à l'individualité. Mais n'est-elle pas la plus brillante des apparences ? Approximation de l'être réel ? Il brûle de le dire, mais il renonce : « Telle est la double nature, la nature contradictoire des choses : d'être réellement ce qui incessamment cesse d'être, et ne de point réellement exister dans ce qui reste général et constant au milieu de leurs transfor-

107. *Fédéralisme...*, B., I, 76 s.; *Empire...*, B., III, 88 s.
108. Voir dans la *Confession*, 172, ce qu'il dit de son goût irrépressible de la vie héroique.

mations perpétuelles [109]. » Si l'être se débat, à fleur du monde de la science, pour s'arracher au pouvoir fantomatique de la science, pourquoi, Michel Bakounine, ne pas oser une dernière révolte, libératrice celle-là de tout le cosmos, homme et univers réunis, la révolte contre une science qui nie l'homme et l'être? Proudhon, Bakounine, Kropotkine, ces héraclitéens du monde moderne, attendent un Platon qui les délivrera de la hantise de Parménide et de l'Être impersonnel, un Platon qui s'intéresse aussi bien aux lois des États qu'aux lois de Dieu et relie les unes aux autres ; mais Platon n'était sans doute possible que sur les ruines accumulées par les sophistes, et quand Socrate, cet homme rude qui accoste les gens sur la place publique, eut rendu à la pensée sa verdeur.

LA PERSONNE, COURBURE DE L'UNIVERS

Nous pouvons pressentir ce que répondrait aux héraclitéens de la pensée ouvrière le Platon qu'un jour peut-être nos difficultés feront naître. Comme son modèle, il procéderait par maïeutique, en partant des pressentiments et des contradictions de l'adversaire. Dans cette immense aspiration de l'univers jusqu'à l'homme, dont l'anarchisme sent la grandeur, il reconnaîtrait en effet une acquisition de la pensée moderne. Mais il en chercherait le sens. Il y discernerait d'abord une progression croissante vers plus de conscience, qui est un premier souffle d'esprit, et d'esprit personnel. Il soulignerait en même temps une prédisposition élémentaire de la matière, que le dernier mot de la science définit par de l'indéterminisme, à l'insertion de possibilités multiples, puis son organisation croissante vers l'individualité, qui est possibilité plus grande de choix et d'aventure. Il montrerait comment la critique de l'idée de loi naturelle, qui semblait aux générations posistivites un dogme intangible, a décorseté la science de l'univers, a rendu possible cette vision d'une vaste conspiration, d'une sorte de courbure structu-

109. *Considérations...*, B., III, 394.

relle qui forcerait peu à peu la matière tout entière à préparer le lieu de la personne, puis à s'y soumettre. Délaissant une science qui n'a étudié que le résidu de l'univers, et ne pouvait y faire à l'homme que la place inhumaine d'une suprême résultante (un peu plus fragile et éphémère que les autres) de ses déterminismes, il inaugurerait — ou retrouverait — une science royale de l'univers en travail, recherchant les intentions qui, non comme des vertus abstraites, des doubles inopérants, mais comme une présence au cœur même des êtres, en fouillent la matière. Il laisserait les vains débats entre un « esprit » impersonnel séparé et une Matière stupide. Il montrerait que l'on n'a ainsi « séparé » l'esprit que parce qu'on croyait son incorruptibilité liée à la simplicité nue et abstraite, alors qu'elle est d'abord affirmation et création d'incorruptibilité, affirmation d'autorité comme Personne irréversible et immortelle. Il distinguerait cette Personne des misères de l'individualité, il montrerait que le mouvement par lequel elle prend possession de soi est le même qui la communique aux autres, et que la personnalisation de l'Univers peut rebondir dans la formation progressive de masses de plus en plus organiquement vivantes, couronnement, surcroît, et non oppression de la personne. Peut-être irait-il plus loin encore, s'attaquerait-il au défi même contre Dieu, montrerait-il comment l'antagonisme disparaît de cette perspective nouvelle, se tranforme en appel. Et peut-être serait-il écouté car, sans lui demander plus qu'elle n'a à dire, il n'aurait à aucun moment, partout où elle a la parole, refusé ou méconnu les indications d'une science pleinement positive, fidèle à ses objets plus qu'à des méthodes préconçues.

On le voit, il s'en faut à la fois de beaucoup et d'assez peu pour que ce tableau ressemble aux schémas anarchistes. Un air de parenté, à l'impression globale, les évoque plutôt que les schémas marxistes, car ces hommes vivants mettaient dans leurs pensées plus de pressentiments que de système. Et pourtant, pour passer de l'un à l'autre, un changement de plan est nécessaire sans lequel, croyons-nous, l'anarchisme n'arrive pas à sauver les vérités morales qu'il avait approchées, les valeurs humaines qu'il a plus d'une fois vaillamment défendues.

On s'en persuadera si l'on regarde de plus près à l'anthropologie qu'ils essayent d'esquisser sur ce fond de toile.

ANARCHISME ET PERSONNE

Pas de coupure absolue de la nature à l'animal, de l'animal à l'homme [110]. « Nous nions d'une manière absolue le libre-arbitre [111]. » La pensée est ambiguë : elle mène à la science, mais aussi à des abstractions absurdes, sans que l'on voie qu'il y ait une différence de nature entre ces deux activités [112]. L'intelligence et la volonté sont deux puissances toutes formelles, sans contenu [113], la vie une puissance créatrice, mais vague. Où trouverons-nous l'homme?

Dans cette négation de l'animalité qui développe progressivement en lui l'humanité? Mais où voyons-nous un principe radical de négation, de liberté? L'homme ne saurait s'arracher au courant de la causalité universelle. « La liberté de l'homme consiste uniquement en ceci, qu'il obéit aux lois naturelles parce qu'il les a reconnues lui-même comme telles, et non parce qu'elles lui ont été imposées par une volonté étrangèrc, divine ou humaine, collective ou individuelle quelconque. » « En dehors d'elles nous ne sommes rien, *nous ne sommes pas.* D'où nous viendrait le pouvoir et la volonté de nous révolter contre elles? » Tout ce que nous pouvons, c'est de nous les approprier en les pensant, et faisant par là que, tout en continuant à leur « obéir », nous ne nous mouvons plus que dans nos propres pensées : « C'est vis-à-vis de la nature, pour l'homme, la seule dignité et toute la liberté possible. »

Ainsi, Bakounine dans une critique aiguë, a dépisté l'asser-

110. Bakounine, *Considérations...*, B., III, 259.
111. *Id.*, *Fédéralisme...*, B., I, 179.
112. *Ibid.*, 238 s.
113. *Ibid.*, 259.

vissement de l'esprit, chez l'homme, par un Esprit impersonnel, abstrait de la volonté humaine. Et tout aussitôt, il félicite l'anarchisme d'être animé par un principe qu'il compare au Christ invisible de l'Église protestante, mais en le vantant de ce que ce dernier étant personnel, son dieu à lui, soit impersonnel! Nous nous heurtons encore, et ici avec évidence, au sophisme central de l'anarchisme : *que la subordination à une personne est humiliante, que la subordination à une loi ou à un univers de choses ne l'est pas* [114]! comme si la personne n'était pas seule à pouvoir traiter la personne comme personne! Ce n'est pas qu'ici encore Bakounine ne se débatte avec le sentiment confus que cette nature lui reste un maître plus extérieur peut-être que les maîtres humains. « Maîtriser la nature » est une idée-force de la tradition socialiste. Bakounine, qui est un lutteur, doit la penser avec un accent particulièrement violent. Mais quel sens lui donner? Il remarque qu'on peut désigner, par « nature », l'ensemble des phénomènes de l'univers, ou, en un sens plus restreint, l'ensemble des phénomènes qui entourent l'homme, qui lui sont extérieurs. Contre cette nature extérieure, il doit lutter, certes (et c'est de ce point de vue que le monde apparaît comme une lutte pour la vie); de même que l'individu doit lutter contre la société dans la mesure où elle se constitue en force extérieure à lui (et c'est ce de point de vue que la liberté apparaît comme instinct de révolte) : mais en fin de compte humanité et individu ne dominent la nature qu'en lui obéissant. Rien ne nous laisse pressentir que, dans la pensée de Bakounine, de cette obéissance à cette domination il y ait introduction d'une vraie création ; la marge de l'une à l'autre n'est que la marge de la vie à la science, c'est-à-dire de la nécessité compliquée et inconsciente qui nous détermine, à la nécessité simplifiée et consciente que nous régentons [115].

Un seul sens donc à la liberté humaine, et il est négatif;

114. « En ne reconnaissant l'autorité absolue que de la *science absolue*, nous n'engageons donc aucunement notre liberté. » *Empire...*, B., III, 58. Cf. *id.*, 48 s., 96 s., 245 s.; *Fédéralisme...*, I, 96.
115. *Considérations...*, B., III, 287 s.

que l'homme se désencombre des fantômes qu'il a créés : Dieu, l'Esprit (ceci est le côté partiellement marxiste), qu'il s'affranchisse non de la société, mais des volontés des autres hommes (ici nous sommes en pleine terre anarchiste).

Tout se ramènerait-il à une forme banale d'individualisme?

Ici l'opinion courante fait un contresens permanent sur l'anarchisme. A la seule exception de Stirner, dont nous avons dit qu'il institue un courant radicalement aberrant de l'anarchie, *toute la tradition anarchiste se prononce contre l'individualisme*. L'individualisme est le principe bourgeois et aristocratique [116]. D'où vient qu'on l'assimile communément à l'anarchisme? C'est qu' « on a toujours confondu *l'individuation* — c'est-à-dire le développement complet de l'individualité — avec *l'individualisme* [117], ». Quelques écrivains, quelques jeunes bourgeois révoltés ont peut-être, aux débuts de l'anarchisme et ici ou là, en marge de lui, soutenu cette revendication individuelle « inintelligente et bornée [118] », mais dès qu'il s'est implanté dans le monde ouvrier, l'anarchisme s'est débarrassé de cette maladie infantile [119]. L'homme est à la fois « le plus individuel et le plus social des animaux [120] ». Qu'on se tourne vers la nature : l'instinct de conservation de l'espèce, ou de reproduction, est aussi puissant que l'instinct individuel. Qu'on se tourne vers la société : contrairement à ce qu'a dit Rousseau, l'homme ne la crée pas volontairement, il y naît [121]. Mais qu'on recherche surtout la genèse de l'individualisme, et l'on verra qu'il s'insère exactement au cœur du courant de pensée que combat l'anarchisme.

Il est d'usage de définir l'individualisme : l'homme qui se fait Dieu. Bakounine prend la formule à la lettre. Proudhon

116. Bakounine, V, 342. — Graves, *Individu et société*, 87 s.
117. Kropotkine, *Science moderne*, 164.
118. *Id.*, *L'Entr'aide*, ch. XV.
119. *Id.*, *Science moderne*, 90.
120. Bakounine, *Fédéralisme...*, B., I, 137.
121. *Id.*, B., V, 318. Il se laisse même entraîner à dire une fois, sous l'influence du marxisme, qu'il est fait tout entier par la société, y compris ses « prétendues idées innées ». *Dieu et l'État*, I, 237.

disait déjà de l'individualisme qu'il est l'introduction de l'Absolu dans les rapports sociaux, l'homme *s'élevant* au-dessus de la société après y avoir *élevé* Dieu [122]. Transposez sur l'individu l'opération par laquelle l'homme a inventé l'absolutisme divin, et vous avez l'individu de l'idéalisme, Dieu-miniature, État-miniature, abstraction sans réalité, aussi isolé, aussi menaçant pour les libertés que Dieu ou l'État réels. Bakounine se faisait de bien curieuses idées du personnalisme chrétien. A la bonne école, il faut le dire, des adversaires faciles qu'il se donnait, il oppose en permanence des abstractions : Une loi morale intérieure *ne peut pas* concerner le rapport de l'homme avec les autres hommes, une âme immortelle, douée d'une liberté et d'une infinité inhérentes à cette âme, fait de l'être qu'elle anime un être éminemment antisocial. Par là même il appelle l'oppression. Ses rapports avec les autres hommes ne sont plus que des rapports matériels non soutenus par des besoins moraux, ne peuvent fonder qu'un seul système : l'exploitation. Ce qui est hors de la liberté ne peut s'organiser que contre la liberté. L'individualisme appelle l'absolutisme de l'État [123].

Nous en sommes évidemment d'accord. Et il faudrait poursuivre, ou, si l'on veut, retourner cette symbolique : l'État totalitaire n'est qu'un individu agrandi, le fascisme n'est qu'un individualisme à forte échelle. On ne sort pas du système. On n'en sort qu'avec la personne, laquelle ne s'affirme qu'en s'unissant. C'est alors seulement qu'il n'est plus possible de confondre la *personnalisation* avec l'individualisme, tandis qu'il l'est parfaitement de le confondre avec l'individualisation.

Comment l'anarchisme opérerait-il ce changement de plan, malgré sa volonté de se séparer d'un si fâcheux voisinage? C'est bien faiblement qu'il essaie de creuser le fossé entre son individu à lui et celui de l'individualisme. En s'opposant au système libertaire de l'intérêt et de l'égoïsme bien entendu, Proudhon ne nie pas une métaphysique, il

122. *Justice*, III : *Les idées*.
123. Bakounine, *Dieu et l'État*, I, 261 s., 299 s.

déplore une difficulté : le principe, irréprochable, dit-il, dans l'hypothèse d'une science économique constituée, est inapplicable dans un État où l'harmonie économique ne sera jamais réalisée [124]. Dans ces conditions empiriques, seul le droit donne une sûre mesure aux actes des hommes et consacre par la Justice ce qui sans lui ne serait qu'un code d'hygiène.

L'anarchisme n'en refuse pas moins — et nous l'en louons — de poser aucun problème à partir du postulat de l'individu isolé. « La liberté des individus n'est point un fait individuel, c'est un fait, un produit collectif [125]. » Affirmation qui prend ailleurs cette si belle sonorité humaine. « Je ne suis vraiment libre que lorsque tous les êtres humains qui m'entourent, hommes et femmes, sont également libres... Je ne deviens libre que par la liberté des autres [126]. » Mais là où la sensibilité le pousse, sa métaphysique est impuissante à le porter. Nous restons toujours à la recherche d'un axe résistant de la personne.

Trois notions me semblent exprimer ce que l'anarchisme a senti de plus profond sur l'homme : celles de dignité, de révolte, d'émancipation.

La *dignité humaine* est surtout une formule de Proudhon. Elle consiste « en ce que le sujet, s'honorant lui-même et avant tout autre, affirme, parmi ses pairs, son accord avec lui-même et sa suprématie sur tout le reste [127] ». Elle vient bien au-dessus de la Charité (que Proudhon prend pour un « sentiment » subjectif), car nous ne sommes pas libres d'aimer, nous le sommes toujours de respecter. Notion fort kantienne, on le voit. Elle s'identifie finalement avec le droit et la justice unilatéralement regardés. Mais quel est son contenu? Que vaut l'homme?

On a reproché aux anarchistes un optimisme intempérant. — Peut-être avons-nous parfois en effet exagéré, répond Kropotkine, mais par simple réaction contre le pessimisme chré-

124. *Justice*, I, Œ., 300.
125. Bakounine, *Conférence aux ouvriers*, B., V, 318.
126. *Id.*, *Dieu et l'État*, B., I, 281, Cf. encore *Confessions*, 172.
127. *Justice*, I, Œ., 294, 352 s.

tien et gouvernemental [128]. Et le défaut n'est pas si général, puisque Graves doit mettre en garde certains anarchistes (il pense aux nihilistes russes) qui, « sous prétexte de réagir contre les bonshommes en baudruche de l'école spiritualiste » et par peur de retomber « dans la fausse charité chrétienne », n'ont voulu voir dans l'homme que la brute inconsciente et malfaisante. Le mal toujours renaissant du pouvoir n'implique t-il pas une sorte de pente fatale en l'homme [129]? De fait, dans l'ensemble, les anarchistes soutiennent assez communément, avec Graves, que l'homme n'est « ni bon ni mauvais, mais ce que le font le milieu et les circonstances ». S'il était si mauvais que cela, il n'eût pas été si longtemps passif devant un monde tout entier organisé de façon à le rendre féroce [130]. Le meilleur des hommes, écrivait déjà Kropotkine, est rendu essentiellement mauvais s'il exerce ou s'il subit l'autorité. « On dit que quand nous demandons l'abolition de l'État et de tous ses organes, nous rêvons une société composée d'hommes meilleurs qu'ils ne le sont en réalité. — Non, mille fois non! Tout ce que nous demandons, c'est qu'on ne rende pas les hommes pires qu'ils ne sont, par de pareilles institutions [131]. » Soit, si par une transcription à laquelle nous voici habitués, nous entendons par autorité quelque forme de puissance. Mais, l'autorité supposée dégagée, que reste-t-il? « Ce que font de l'homme le milieu et les circonstances. » Graves en conclut non sans courage : « La logique voudrait que l'on conclût à son irresponsabilité. » Proudhon, plus dégagé des lieux communs positivistes, maintenait au moins la Justice et l'autonomie. C'est beaucoup. Est-ce suffisant?

Kant, du moins, établissait l'autonomie sur un affranchissement rigoureux du sujet moral à l'égard du plaisir et

128. *Ent'raide*, ch. XIV; *Science moderne*, 40 s.
129. Bakounine voit « au fond de l'histoire » une « tendance des uns de vivre et de prospérer aux dépens des autres ». *Lettre aux Internationaux*, B., I, 255.
130. Graves, *La Société future*, 301 s., *Individu et Société*, 117-8, 132 s.
131. Eltzbacher, *L'anarchie, sa philosophie*, 38.

de l'utilité. L'*émancipation* de l'anarchiste l'émancipe de tout, sauf de lui-même. De Godwin à Kropotkine et à Graves, en mettant Proudhon peut-être légèrement en marge, son critère suprême d'action est le bien-être [132] : « La dignité a pour maxime ou règle de conduite la félicité... De là l'idée de *bien et de mal* moral, synonyme de celle de bonheur ou de peine [133]. » « La plus grande somme de bonheur, et par conséquent la plus grande somme de vitalité », demande Kropotkine. Fallait-il tant d'âpre grandeur pour retomber dans un hédonisme plus ou moins remuant?

La *révolte*, que Kropotkine met au cœur de sa pensée, — il en fait, immédiatement après la conscience, la seconde étape de la liberté, et son étape adulte [134], — nous mène sans doute infiniment plus profond. Elle est le redressement de l'homme contre l'Absolu, contre l'obéissance aux pouvoirs : une sorte d'acte total, inexpliqué, d'affirmation et d'initiative première, et un salut, au sens quasi religieux du mot. Mais du moment qu'elle se résorbe, en fin de compte, dans l'immanence générale de la nature physique, comment serait-elle plus, en fin de compte aussi, qu'un beau geste vain?

Par toutes ces voies héroïques, l'anarchisme tente de sortir de la forteresse où l'enferme sa métaphysique première, vers cette plénitude de l'homme total dont il gardait, dans le morne abandon d'une fin de siècle décadente, une farouche nostalgie. Autant d'impasser. Il n'est qu'à saluer la grandeur solitaire de l'effort.

RECHERCHE DE LA COMMUNAUTÉ

Le paradoxe qui oppose malgré tout l'anarchisme à l'individualisme s'imprime plus profondément que ses historiens ne l'ont relevé dans les perspectives mêmes de ses doctrines. Si pauvre quand il s'agit de présenter l'homme personnel,

132. Par exemple Graves, *Individu et Société*, 145 s., Kropotkine, *Science moderne*, 160.
133. Proudhon, *Justice*, I, Œ., 295.
134. *Science moderne*, 25.

capable seulement d'exaspérer l'affirmation agressive de son indépendance, il nous donne au contraire de remarquables lumières sur la réalité, toute neuve pour l'homme moderne, confuse encore, de la masse; il nous appelle à vivre et à penser des masses qui ne seraient pas oppressives pour les destins singuliers des hommes, mais au contraire toniques et élevantes. Le droit vivant, sous l'impulsion des doctrines de Gurvitch, Morin, Maxime Leroy, etc., a défini depuis quelques années, en opposition au droit individualiste qui domine notre histoire, les notions fécondes de « personnes collectives complexes », de « totalités morales extra-étatiques », synthèses de personnalité et d'universalité où les personnes composantes ne sont pas un sous-produit de la collectivité, sans que celle-ci n'offre de son côté rien de subsidiaire. Un « droit social » est né [135]. Les recherches de la sociologie allemande contemporaine sur la communauté, malheureusement peu connues en France, viennent heureusement à sa rencontre [136]. Ces juristes ne cachent pas leur filiation : elle est en droite ligne proudhonienne. Moins novateurs que Proudhon, les autres écrivains anarchistes n'en sont pas moins abondants sur cette idée de la masse vivante : leur double exigence collectiviste et anarchiste devait pousser leurs intuitions dans ce sens. Il ne vient à l'idée de personne de considérer le fonctionnement du corps humain comme désordonné : chacun sait pourtant que le cœur a son système nerveux indépendant, que le système sympathique et le système nerveux central sont deux rois dans un même royaume, qu'en cas de danger, ici et là surgissent par commande locale des formations de défense. Il faut le concéder au bon Kropotkine : notre corps ressemble à une fédération plus qu'à un État totalitaire. Nous voici amenés une fois de plus à briser nos associations habituelles, à dissocier l'idée d'*anarchie* de l'idée de *désordre* pour la souder à l'idée d'*organisme décentralisé*, en l'opposant à celle de *mécanisme centralisé*, et

135. Nous renvoyons au monument essentiel de ces recherches, la thèse de G. Gurvitch sur l'*Idée de Droit social* (Sirey).

136. Cf. R. Aron, *La sociologie allemande contemporaine*, Alcan.

(sauf peut-être pour un aspect de Proudhon) d'*organisme centralisé*.

Nous avons étudié cette recherche en exercice sur la notion de fédération politique et sur celle de mutualité économique. Il ne nous reste qu'à en dégager rapidement l'esprit.

La masse anarchiste est autonome, vivante, spontanée. Parlant du peuple, Proudhon affirmait déjà qu'il n'est pas un « être de raison » une « personne morale » comme disait Rousseau, « mais bien un être véritable, qui a sa réalité, son individualité, son essence, sa voie, sa raison propre [137] ». Les fondateurs d'État n'ont jamais cru en lui, c'est pourquoi ils ont fabriqué des États. Les anarchistes y croient, c'est en son nom qu'ils nient l'État [138]. Comme un homme qui passe de l'enfance à l'âge adulte, il reste longtemps sans affirmer une conscience ou une volonté propres; il se confie alors aux premières tutelles qui se présentent; puis il prend conscience de son existence, bientôt de son idée, peu après il en tire un système politique et une tactique. « Ainsi, la notion de personne, l'idée du *moi*, se trouve étendue et généralisée : il y a la personne ou le *moi* individuel, comme il y a la personne ou le *moi* collectif... La psychologie des nations et de l'humanité devient, comme la psychologie de l'homme, une science possible [139]. »

Matériellement prise, cette communauté du peuple, n'est pas une communauté politique ou radicale, mais une solidarité de revendications économiques, née d'une solidarité de souffrances, d'intérêts, de besoins, d'aspirations [140]. Guillaume le remarquait dans son *Histoire de l'Internationale*, c'est elle qui ressort toujours sous les déchirements politiques, qui unit, alors que la politique divise. Elle n'est pas seulement une force, elle est une sorte de « conscience historique »,

137. *Idée générale...*, Œ., 206.
138. Proudhon, Lettre à Louis Blanc, citée dans l'intr. à *Idée générale*, Œ., 66.
139. *Id.*, *Résistance à la révolution*, en annexe à *Idée générale*, Œ., 369; *Capacité*, Œ., 19 s.
140. Bakounine, *Fragment...*, B., IV, 413 s.

de « science traditionnelle pratique [140] » contre laquelle la propagande use vainement ses forces. De cette expérience multiple et collective, les juristes du droit social ont montré comment sortait en foisonnant la vraie matière vivante du droit et des sociétés. Kropotkine jetait déjà aux contempteurs de la foule l'argument de cette richesse diffuse, semi-consciente en chacun, et qui pourtant dépose les alluvions de l'histoire, bien avant que les constructeurs n'en fassent leurs matériaux [142]. De tous côtés on la voit émerger dans des milliers d'associations volontaires, pour des milliers de buts, s'organiser du simple au composé, par « libre-entente ». Chacun des écrivains anarchistes a analysé sous un angle singulier la cohésion qui donne solidité et activité à cette réalité profuse. Proudhon l'appuie à la double colonne de l'association comme « force économique [143] » et de la Justice comme force morale et affective à la fois. Kropotkine l'analyse comme un instinct d' « entraide [144] » dont il démontre, comme une interprétation unilatérale de Darwin, l'universalité dans la nature. Bakounine, plongé dans l'action, et dans l'action antimarxiste, y voit surtout une fraternité de sort, tel que nul ne voudra s'en affranchir pour lui-même, mais seulement en solidarité avec tous ceux qui subissent la même exploitation [145].

Mais nous commencions à parler de masse et voici que nous disons peuple. Une réalité libre et articulée semblait surgir de l'idée d'anarchie, allons-nous la cristalliser en classe? Bakounine, qui fait le plus grand usage de la notion de classe,

141. *Id.*, *Protestation*, B., VI., 82; IV, 451 s.
142. *Science moderne*, 42.
143. Quant aux variations de Proudhon sur l'idée d'association, voir *Idée générale*, Œ., 157 s. et l'introduction de Berthod, 33 s., 199. Il s'est longtemps opposé à l'association tant que ce mot lui venait de disciples de Louis Blanc et qu'il y voyait une liaison individuelle et égoïste, une négociation de services, et non pas un échange de services fondé sur la Justice impersonnelle.
144. Cf. *L'Entraide*, Hachette.
145. B., IV, 172. Nous ne parlons pas de l'« association des égoïstes » de Stirner, laissant une fois pour toutes cette pensée en marge.

était trop pénétré, malgré lui, de marxisme, et surtout connaissait de trop près les luttes sociales pour ne pas accorder à la classe intérieurement uniformisée, agressive à l'extérieur, la réalité et le rôle de première importance qu'elle tient au cœur de l'histoire contemporaine. « On aurait beau condamner la division, elle n'en existe pas moins dans le fait, et, puisqu'elle existe, il serait puéril et même funeste, au point de vue du salut de la France, d'en ignorer, d'en nier, de ne point en constater l'existence [146]. » Ce n'est qu'à regret, pourtant, qu'un cœur anarchiste peut accepter cette massive et inhumaine réalité. Un des principaux griefs que Bakounine fait à Marx, c'est d'avoir consacré, canonisé cette substitution de la *classe* à la *masse* [147] vivante : « Savez-vous ce que cela signifie? Ni plus ni moins qu'une nouvelle aristocratie, celle des ouvriers des fabriques et des villes... *Classe*, *pouvoir*, *Etat* sont trois termes inséparables, dont chacun suppose nécessairement les deux autres, et qui tous ensemble se résument définitivement par ces mots : l'assujettissement politique et l'exploitation économique des masses [148]. » Si la classe relevait ainsi, par sa structure, de la société maligne, il aimait à y chercher, sous la brutalité de ses ressentiments, la ressource humaine. Ici il analyse cette « mauvaise conscience des bourgeois [149] » qui a précédé la conscience de classe ouvrière; là, dans le prolétariat, il se plaît à souligner que ses éléments les plus intacts, les plus riches en promesses, on doit les chercher souvent non pas dans la « fleur du prolétariat », c'est-à-dire dans la couche embourgeoisée, déspiritualisée déjà, qui parle aux tribunes, s'infiltre aux postes de commande, imite la classe enviée, mais dans la « canaille »

146. B., IV, 93 s., 423. « Les souffrances de tous, plus encore que les souffrances individuelles de chacun, écrivait en 1833 l'ouvrier compositeur Jules Leroux, nous avaient rassemblés » (cit. dans Dolléans, *Histoire du mouvement ouvrier*, I, 85).

147. Nous ne trouvons pas le mot très heureusement choisi, parent qu'il est de massif. Mais il a une histoire de fidélités, et que peut-on contre des mots pour lesquels des hommes ont souffert?

148. *Lettre à la Liberté*, B., IV, 374.

149. *Lettre aux Internationaux*, B., I, 216.

— il lançait le mot au défi —, dans les zones basses, en tout cas, qui sont à peu près vierges de civilisation bourgeoise.

De la classe populaire, comme un chrétien parle de l'Église implicite à côté de l'Église explicite, il veut étendre les frontières de la classe révolutionnaire à tous les « socialistes sans le savoir [150] ». Et il se complaît en fin de compte sur cette vision universaliste de sa mission que nous devons citer intégralement : « Puisque le prolétaire, le travailleur manuel, l'homme de peine, est le représentant historique du dernier esclavage sur la terre, son émancipation est l'émancipation de tout le monde, son triomphe est le triomphe final de l'humanité; par conséquent, l'organisation de la puissance du prolétariat de tous les pays par l'Internationale, et la guerre qu'elle soulève contre toutes les classes exploitantes et dominantes, ne peuvent avoir pour but la constitution d'un nouveau privilège, d'un nouveau monopole, d'une classe ou d'une domination nouvelles, d'un nouvel État, mais l'établissement de la liberté, de l'égalité et de la fraternité de tous les êtres humains sur les ruines de tous les privilèges, de toutes les classes, de toutes les exploitations, de toutes les dominations, en un mot de tous les États [151]. »

4. *La liberté guide leurs pas*

Nous avons accentué la faiblesse des positions centrales de l'anarchie aussi cruellement qu'il nous semblait nécessaire. Nous devons exiger d'autant plus d'un mouvement comme celui-là, et nous montrer d'autant plus sévères à son égard qu'il approche plus près que d'autres les réalités que nous croyons seules aptes à vivifier l'âme populaire qui se cherche. Tout de même reste-t-il à leur actif de les avoir approchées. Et nous allons voir comment, dans l'action ouvrière, où leurs intuitions se sont moins déformées que dans leur

150. B., IV, 180.
151. *Empire*, B., IV, 425.

expression raisonnée, ils ont infusé un esprit, en concurrence à l'analyse objective, dont le moins que nous puissions dire est qu'il a maintenu, au sein du socialisme, les plus belles chances de réponse qu'un personnalisme puisse aujourd'hui trouver.

Ce semi-personnalisme ouvrier voyait avec effroi le mouvement ouvrier, d'un mouvement vivant de « masses » organiques, oublier de plus en plus vite ses traditions libertaires. « L'esclavage, dit Brupbacher en introduction aux *Confessions* de Bakounine, a engendré chez le prolétariat la volonté de puissance, non point seulement la volonté d'exercer le pouvoir aux dépens de la bourgeoisie, mais la volonté de puissance en elle-même, d'une puissance imposée à tout ce qui a figure humaine. » Ce péril, dont jamais un écrit communiste ne souffle mot, la littérature anarchiste en est hantée.

Les anarchistes en ont bien vu les deux aspects concurrents : tourné vers l'extérieur, l'impérialisme d'une force qui commence à se sentir *dominante*, à se séparer du corps social, à prendre le goût du pouvoir : la séduction de la société par l'État. A l'intérieur, la centralisation, et cette sorte de fissure qui clive les sociétés abandonnées à la volonté de puissance en une minorité impérialiste et une majorité inerte dans laquelle les hommes perdent progressivement le goût de l'initiative et de la liberté. C'est à l'intérieur même de son action que le mouvement ouvrier trouve son principal adversaire, c'est à l'intérieur qu'il lui faut le terrasser.

A une époque où il ne pouvait songer à revendiquer le pouvoir révolutionnaire, la tentation s'est d'abord manifestée par l'attrait du pouvoir bourgeois, qui lui donnait une issue. On a sans doute ici en mémoire la thèse commune aux premiers Internationaux, et aux écrits anarchistes qui les inspiraient : *le peuple est uni par l'économique bien plus profondément que par le politique.* Ce n'est pas, malgré l'apparence, une thèse matérialiste, du moins au sens moral du mot. Il ne s'agit pas de replier les préoccupations du monde ouvrier, de propos délibéré, sur des problèmes de statistiques ou sur une action pour la conquête du pain exclusive de toute vue générale sur l'homme, de toute participation à l'ensemble des problèmes de la cité. Non : une telle amputation serait pour le prolétariat la mort, et lui-même ne s'y résoudrait point; sa situation économique même le met dans une certaine situation politique et l'engage à en tirer les conséquences [152]. Il s'agit seulement de constater une situation *morale* telle que tous les problèmes pour le prolétariat se posent sur le plan vital, et non par une réflexion désintéressée. Il s'agit de reconnaître le fait, et même la valeur de cette liaison directe entre l'humanisme prolétarien en gestation et les nécessités quotidiennes, et d'affirmer sa primauté, d'urgence et de dignité, sur une vaine émulation à la poursuite du pouvoir.

Les masses sont *animées* par l'égalité économique, elles ne le sont pas, ou ne le sont que superficiellement, par les querelles des politiciens [153]. Il y a là une sorte de suture vitale entre le matériel et le spirituel vrai, par-dessus les vains fantasmes des hommes. C'est pourquoi les révolutions sont des coupures moins nettes, des bouleversements moins profonds qu'on ne croit de la réalité sociale. Une révolution redresse la société comme un jeune arbre : « En ce redressement doit consister toute l'innovation révolutionnaire : il ne peut être question de toucher à la société elle-même, que nous devons considérer comme un être supérieur doué d'une vie propre et qui par conséquent exclut de notre part toute reconstruction arbitraire [154]. » L'anarchisme est sur ce point profondément antiutopiste. A Dieu ne plaise, disait Proudhon, que je prétende jamais avoir *inventé une Idée*.

Ce sentiment puissant, imprimé dans l'instinct populaire le plus dru, ne va pas sans un scepticisme, voire sans un pessimisme de grande race sur le politique, sur ses pompes et sur ses œuvres. Il était inévitable que cette disposition soit à son tour poussée à la manie, et nous verrons bientôt

152. Bakounine, *Fragments*, IV, 433 s.
153. Bakounine, III, 115.
154. Proudhon, *Idée générale*, 156 s.

que les tactiques des anarchisants ne se trouvèrent pas toujours au mieux de l'avoir conduite au système. La doctrine même eut à en souffrir, dans toute la lignée qui, de Saint-Simon et de Proudhon première manière au syndicalisme révolutionnaire orthodoxe, crut devoir rayer purement et simplement de la société toute institution politique, de même que toute action politique. Mais quand elle reste vivante et critique, la thèse a du bon. Et contrairement à ce qu'en laisserait penser la formule, elle donne aux revendications qu'elle inspire un ton direct, un accent souvent brutal, mais toujours humain, auquel l'éloquence, les circonlocutions, les hargnes feintes de la littérature politicienne sont bien étrangères.

Elle est inscrite en lettres de feu dans le cœur des milliers de travailleurs toujours prêts à se réciter intérieurement la déclaration qui ouvre triomphalement la première charte de l'Internationale : « L'émancipation des travailleurs doit être l'œuvre des travailleurs eux-mêmes; les efforts des travailleurs ne doivent pas tendre à constituer de nouveaux privilèges, mais à établir pour tous les mêmes droits et les mêmes devoirs. » Quel accent! et qu'on voudrait qu'il se fût maintenu dans tant de textes postérieurs! Les exigences contrariées y sont ramassées dans une sobriété virile et sans éclat : le désir d'autonomie, qui n'est pas désir de séparation, mais de dignité, d'effort personnel, de salut conquis et mérité et la volonté d'universalité qui met en perspective cette lutte pour le droit de vivre. « Pour cette raison, continuaient les statuts, l'émancipation économique des travailleurs est le grand but auquel doit être subordonné tout mouvement politique. » Le texte anglais ajoutait *as a means*, comme moyen. Les Jurassiens accusèrent les marxistes d'avoir introduit subrepticement ces trois mots, afin de les faire rétablir plus tard dans le texte français et de faire commenter par les Congrès : « comme un moyen nécessaire ». Ce qui arriva en effet [155]. Sans du tout rejeter les

155. Sur cette dispute, cf. Guillaume, *Histoire de l'Internationale*, I, 284-5; II, 202-4, 341-2.

questions politiques, les anarchisants se posaient chaque jour à leur propos cette question qui leur servait de pierre de touche : « Quel rapport y a-t-il entre ceci et l'émancipation du prolétariat [156]? » C'est ainsi qu'ils furent amenés à donner leur faveur à toutes les actions que la classe ouvrière mena pour son émancipation économique : on leur doit l'initiative des Bourses du travail [157], qui devaient aussitôt mettre le mouvement syndical en conflit avec le Parti socialiste marxiste, après le Congrès ouvrier de 1878; ils furent les constants inspirateurs et les plus fidèles appuis du syndicalisme, du coopératisme, généralement de toutes les formations spontanées et apolitiques du prolétariat.

Avec la même fidélité ils dénoncèrent sans relâche le glissement du mouvement ouvrier à l'action politique. Que pouvait-il en sortir? Ils n'ont pas oublié les critiques de Proudhon sur la capacité ouvrière. Tant que l'ouvrier est en majorité incapable, qui envoie-t-il pour le représenter? D'abord des bourgeois, et en nombre tel qu'il pourrait arriver un jour que le parti « ouvrier » fût surtout composé d'économistes, de journalistes, d'avocats et de patrons : au Congrès de Lausanne, en 1867, un socialiste admit même la possibilité d'y admettre des banquiers [158]! Mais il y a pis encore pour le mouvement ouvrier, c'est d'être dirigé « *par des ouvriers transformés par leur ambition, par leur vanité, en bourgeois* [159] ». Il existe depuis toujours en effet deux sortes de révolutionnaires : les uns se révoltent contre une institution pour la renverser dans l'intérêt de tous, les autres ne cherchent à s'émanciper de l'institution sociale que pour se mettre à leur tour au-dessus d'elle, afin de dominer, et d'exploiter les autres membres de la société [160]. Phobie, imagination préconçue? Eh non, répond tristement Guil-

156. *Ibid.*, I, 232.
157. Pelloutier, *Histoire des bourses du travail*, se réfère explicitement à leur inspiration.
158. Guillaume, *op cit.*, 22, 32.
159. Bakounine, *Fragments*, B., IV, 399.
160. Kropotkine, *Science moderne*, 4.

laume! Conviction dégagée d'une douloureuse et constante expérience des candidatures ouvrières [161]! Dès les années 1830, l'organe de l'Union nationale des Travailleurs anglais, le *Défenseur du pauvre*, doit le défendre, entre autres dangers, contre une loi électorale qui n'envoie à la Chambre des Communes, pour représenter le peuple, que des politiciens petits-bourgeois. En 1839, il faut enregistrer la première trahison retentissante, celle de Feargus O'Connor, naguère leader de la tendance violente du chartisme : rien ne l'intéresse plus que ses luttes personnelles pour le pouvoir [162]. Les transfuges n'ont pas arrêté depuis lors... C'est pourquoi les idées anarchistes ont toujours trouvé un regain de faveur après les révolutions quand, au bout de ce mouvement vers le pouvoir, les gouvernements révolutionnaires étaient apparus sous les traits de l'État tout-puissant : Godwin après 1789, Proudhon après 1848, Bakounine et Kropotkine après l'éphémère Commune, et peut-être aujourd'hui, après Staline [163].

A supposer que le pouvoir pourrait ne pas corrompre ses hommes, qu'aurait à en attendre l'émancipation ouvrière? L'expérience est là pour dire que jamais une classe privilégiée n'a abandonné ses privilèges de son gré ou par persuasion; ou quand elle l'a fait, comme dans la trop fameuse nuit du 4 août, dont l'affolement a été transformé en tableau d'idylle, ce fut sous la pression directe des forces populaires. Les députés ouvriers ne sont que d'inutiles intermédiaires : c'est la poussée de base, l'action directe, l'affirmation visible de la force populaire qui a toujours emporté les réformes dont la loi et ses votants semblent avoir l'initiative [164]. Les écrivains anarchistes se plaisaient à rectifier de ce point de vue l'histoire de la Révolution française pour la présenter telle qu'Aulard, Jaurès, Mathiez la reconstituèrent ensuite; les journées de mai-juin 1936

161. B., II, 94-5.
162. Dolléans, *op cit.*, 124 s., 150 s.
163. Kropotkine en fait la remarque, *Science moderne*, 51-2.
164. *Id.*, *Paroles d'un révolté*, 34 s.

n'eussent pas été non plus défavorables à leur thèse.

Aussi « toute révolution politique qui se fera *avant*, et, par conséquent, en dehors de la révolution sociale, sera nécessairement une révolution bourgeoise ». Elle renforcera des valeurs bourgeoises : le parti ouvrier allemand cherche la grandeur de l'État et de la patrie allemande avant tout, il est composé de « patriotes politiques » avant tout [165]. Le régime politique, en effet, Proudhon l'avait longuement démontré [166], ne peut pas être l'expression et le soutien du régime économique qu'il découvre. Si une révolution politique prématurée ne veut donc pas trahir et camoufler une révolution conservatrice, elle est infailliblement étouffée, faute de sang neuf. « Ce que la Révolution française devait organiser après le 4 août, écrit Proudhon, ce n'était pas le gouvernement, mais l'économie nationale. » Elle a péri comme 1848 et pour les mêmes causes : « L'absence de notion économique, le préjugé gouvernemental, la méfiance où ils se tenaient du prolétariat... En résumé, la *société* que devait créer la Révolution de 1789 n'existe pas, elle est à faire... (Elle) n'a laissé aucune tradition organique, aucune création effective [167]. » C'est que la *forme* du gouvernement, nous l'avons vu, est peu de chose auprès de l'*essence* de la société, qui est surtout économique [168]. Les deux révolutions, politique et économique, ne peuvent être que contemporaines. Et la révolution économique, ce ne sont pas les gouvernements qui l'inventeront de toutes pièces, c'est les masses qui en trouveront l'expression, en mille points à la fois, dans une grande montée de création convergente « Toutes les révolutions ont commencé dans le peuple [169]. »

Une méfiance parente de celle que les ouvriers anti-autoritaires nourrissent pour les politiciens qui s'enkystent dans leur mouvement est celle qu'ils réservent aux

165. Bakounine, *Lettres à un Français*, B., IV, 39 s.
166. Kropotkine le reprend : *Paroles d'un révolté*, 169.
167. *Idée générale*, Œ., 126 s.
168. *Principe fédératif*, Œ., 20 s.
169. Kropotkine, *Science moderne*, 129.

intellectuels. Les Français proposaient déjà de les exclure de la définition du travailleur au premier Congrès de l'Internationale. Qu'il entre dans ce sentiment quelque « invidia democratica », quelque outrance égalitaire de basse qualité, il est certain, et il faut relever, que des hommes comme Guillaume, comme Bakounine, s'élevèrent toujours contre une telle exclusive[170]. Mais l'instinct qui poussait ces hommes à se méfier était plus sûr et plus clairvoyant que des passions... Les intellectuels étaient pour la plupart de formation bourgeoise. Toute une intelligence patentée, décorée, régnante, donne une consécration aux actes de la bourgeoisie « comme l'Église la donnait à ceux de la noblesse ». Leurs inventions ne profitent qu'à la bourgeoisie. Tout cela est suspect[171]. Les meilleurs risquent d'approcher du prolétariat avec des idées générales et abstraites, non par une nécessité vitale, qui leur eût donné « la compréhension réelle et vivante de ses maux réels[172] ». Il serait souhaitable aussi qu'ils travaillent un peu de leurs mains comme les autres : ils y gagneraient en santé de corps, en vigueur d'esprit, et surtout en esprit de solidarité et de justice[173]. Au lieu de quoi les ouvriers les voyaient se perdre en contradictions et en luttes, eux, les représentants du savoir : en 1848, ils parlaient d'enfermer Proudhon, Louis Blanc et Cabet jusqu'à ce qu'ils se soient mis d'accord ensemble sur leurs plans de réforme; peu après, Marx leur donne le spectacle d'un homme absorbé jusqu'à la passion par le souci d'assurer sa prépondérance sur Bakounine. Ils flairent vite la vanité : comment ne penseraient-ils pas qu'elle joue sur leur dos? Ils se défendent d'avoir aucune responsabilité

170. Guillaume dans une très belle intervention du Congrès de Genève en 1873 (*op. cit.*, III, 120 s.), et tout en rappelant que « si l'on veut sérieusement examiner où sont les bourgeois dans l'Internationale, n'est-ce pas bien plutôt dans les rangs de certains ouvriers que nous les trouverons ». Bakounine en affirmant que « les principes sociaux ne constituent la propriété de personne » (*id.*, I, 72).

171. Bakounine, IV, 131.

172. *Id.*, *Protestation*, B., VI, 70.

173. *Id.*, B., IV, 127 s.

dans les utopies qu'on leur attribue [174] et qui leur apparaissent comme des jeux plus ou moins gratuits. Quand ils voient enfin ces spécialistes du cerveau se constituer en caste, en patronage au sein du mouvement ouvrier, accaparer les postes de chef, prendre de la hauteur et prétendre les connaître mieux qu'ils ne se connaissent eux-mêmes, ils se disent que l'intelligence est aussi une voie vers la tentation du pouvoir, et ils se ferment. Dans une certaine manière qu'ont les intellectuels bourgeois de se séparer, de se « distinguer », Proudhon verra une transposition sociale du dualisme « spiritualiste » qui dans la société comme dans l'individu sépare le corps et l'« âme [175] ».

Politiciens et intellectuels corrompus par le goût du pouvoir, avant même de l'occuper dans le gouvernement des nations, se découpent une aire de consolation dans la matière vivante du mouvement ouvrier, et ce succédané, c'est le parti centralisé. « Tous les partis, sans exception, en tant qu'ils affectionnent le pouvoir, sont des variétés de l'absolutisme [176]. » La centralisation a commencé à infecter l'Internationale elle-même. La méthode réaliste et fédérative veut que l'unité résulte de l'initiative de tous, peu à peu remontée de la base jusqu'aux centres. Le moyen est de « développer la plus grande somme possible d'initiative individuelle dans chaque cercle et dans chaque individu, — l'unité d'action s'obtenant par l'unité de but et par la force de persuasion que possède toujours toute idée, lorsqu'elle a été librement exprimée, sérieusement discutée et trouvée juste ». Pour ce, aux Assemblées générales, aux Congrès, où il est impossible de reconnaître les meilleurs, car ce ne sont pas eux qui parlent, on préférera les petites rencontres à dix, vingt, trente, où se forment les caractères, la bonne entente, l'action solidaire et la confiance mutuelle. C'est ainsi, et ainsi seulement que l'action avance, car la variété, le conflit, c'est la vie, et l'uniformité c'est la mort. Les « chefs », sans rien renoncer de

174. Au Congrès de Genève, cit. par Pelloutier, *op, cit.*
175. *Majorats littéraires*, 26.
176. Proudhon, *Confessions*, 7.

leur influence directe, tâchent d'éveiller chacun à se former une opinion indépendante, de ne pas étouffer cet effort; moins que des chefs, disait Guillaume, ils sont des hommes d'initiative, les plus actifs parmi leurs camarades. Ce n'est que par cette vitalité organique qu'une révolution a de l'attaque et du souffle. Une question se présente-t-elle, on ne la tranche pas brutalement par le procédé chirurgical du vote suivi de l'oppression de la minorité. Le vote n'est admis que comme une statistique des opinions. Dans une question un peu complexe, il y a bien plus de deux avis, en oui et en non, quand il est inévitable de se résigner au vote, les « déclarations de minorités » ont au moins autant d'importance que la décision de la majorité, arbitraire à l'égard de tous les minoritaires. Les décisions des Congrès généraux ne sont exécutoires que par les fédérations de base qui les acceptent. Ces manières nuisent à l'unité du mouvement? On répond que ce qui fait la force d'une décision de Congrès, ce n'est pas sa promulgation sur le papier, mais l'adhésion active donnée par la base, et rien ne saurait la suppléer : aux décisions arbitraires elle opposera l'inertie. C'est cela la discipline collective : « la concordance volontaire réfléchie et de tous les efforts individuels vers un but commun ». Au moment de l'action les rôles se divisent, certains commandent et décident pour la collectivité entière. Mais « aucune fonction ne se pétrifie », le supérieur d'aujourd'hui peut devenir demain subalterne, le virus du pouvoir se dissout dans la collectivité [177].

La plupart des révolutions ont manqué d'initiative populaire, et elles en ont manqué parce que les partis, par leur discipline stéréotypée, l'ont étouffée dans un peuple souvent si admirable d'intelligence. Petit à petit, à mesure qu'ils constituent leur appareil centralisé, des hommes plus soucieux de suprématie que de service imposent l'hégémonie des sections centrales sur les sections locales, et, sur les fédérations, des Congrès où le truquage des majorités est bientôt entre leurs

177. Kropotkine, *Science moderne*, 124; *L'anarchie, son idéal*, 52 s. — Bakounine, *Rapport sur l'Alliance*, VI, 245 s.; *Empire*, B., II, 297. — Guillaume, *op. cit.*, II, 266.

mains une science roublarde. La base perd l'habitude, puis le goût de la discussion et de l'initiative. Elle s'en remet aux organes directeurs, s'aliène entre leurs mains. Or, eux, ils ne vont pas de la réalité à l'action, mais de l'idée au fait, à savoir de l'idéologie aux combinaisons : quand les choses sont en cet état, un mouvement est mort [178].

Cette mystique de la libre-entente, est-il besoin de souligner la part d'utopie qu'elle comporte malgré tout? Kropotkine, il est vrai, convainc le plus rebelle, par ses références historiques, qu'elle est moins grande que ne penseraient des esprits envoûtés par le « préjugé gouvernemental » : les chartes des communes médiévales ne présentent-elles pas, à travers l'Europe entière, une étrange similitude? Identifier libre-entente à désordre, c'est confondre anarchisme et individualisme, oublier qu'à côté des individus il y a une matière historique, des tendances organiques qui se font à travers leurs initiatives et relient leurs volontés. L'unité anarchiste n'est pas une unité de hasard, une unité kaléidoscopique comme on lui en jette couramment le défi, elle « exprime l'âme de la société », elle est donc « unité spirituelle, ordre intelligible ». « Elle se constitue, invisible, impalpable, perméable en tous sens à la liberté, comme l'air traversé par l'oiseau, et qui le fait vivre et le soutient [179]. » Ici comme partout, dès que l'anarchie systématise ses thèses, elle tombe dans le ridicule. Dès qu'elle consent à les présenter comme des tendances directrices, des utopies d'orientation, elle donne aux mouvements qu'elle influence de fécondes inspirations; elle lutte pour le moins contre les dangers dominants de l'époque. Dans la première attitude, ses déboires ne se comptent pas, depuis les années où M. Andrieux, Préfet de Police, imprimait et diffusait lui-même une feuille anarchiste passée entre les mailles de la sacro-sainte liberté avec un nombre impressionnant d'indicateurs, jusqu'à des expériences plus récentes, plus massives et plus douloureuses. La seconde, nous lui devons d'avoir maintenu l'honneur du mouvement ou-

178. Bakounine, IV, 42, 341 s.; VI, 65 s.
179. Proudhon, *Capacité*, 187.

vrier. Elle témoigne du même sens confus et émouvant de la personne, de la même défiance des apparences que nous avons à chaque moment croisés dans les doctrines.

Bakounine accoutumait de dire qu'il n'y a que deux tactiques légitimes pour un anarchiste : la propagande idéologique et l'action directe.

Ce n'est pas un des signes les moins graves de la démission des hommes que cette sorte de scepticisme impatient et un peu narquois avec lequel on accueille aujourd'hui dans tant de milieux ceux qui affirment la nécessité de mener de front, avec la réforme des institutions, la formation doctrinale et morale des hommes qui auront à y entrer. Les partis ouvriers ont délaissé pendant des années le développement de la capacité ouvrière. La « révolution spirituelle » passe pour fasciste. Or des hommes, souvent aussi sommaires dans leurs dialectiques que les écrivains anarchistes, ont dans leur sac de plus riches ressources que les dialectiques. Ne cherchons même pas chez les plus grands. Ouvrons au hasard un livre de Graves[180]. Nous y lisons tout de suite que « c'est faire œuvre révolutionnaire que d'apporter, en nos relations présentes, un peu de ce que devront être nos relations futures » : « car « si le milieu transforme l'homme, l'homme, à coup sûr, transforme le milieu ». C'est donc d'abord dans les têtes et dans les cœurs qu'il faut faire la révolution, seul moyen de la réussir. L'infiltration lente des façons de penser et d'agir suivant un esprit nouveau imbibera peu à peu la société jusqu'au jour où elle amènera une rupture inévitable. « C'est une grande erreur, préparant une grande déception, pour le plus grand nombre des nôtres qui croient la révolution assez efficace pour opérer, de par sa propre vertu, la transformation de l'individu, sinon complète, du moins assez grande pour l'amener à assurer la réussite de la révolution qui l'aura régénéré. » Répandre l'idée de la « panacée-révolution », comme dit Graves, c'est entretenir une passivité qui explique tous les échecs : la révolution n'est pas une entité, une per-

180. *Individu et société*, 218-254.

sonne métaphysique qui agirait « par une force secrète, qu'elle tirerait d'elle-même ». « C'est un fait qui s'accomplit sous l'impulsion d'individualités. » « Si après tant de révolutions, les abus ont persisté, ou ont réussi dans le nouvel état de choses à se faire jour sous de nouvelles formes, c'était, il faut bien le reconnaître, que les initiateurs du mouvement, trop en avance sur la foule, n'avaient pu réussir à l'entraîner dans leur marche en avant, ou — ce qui est plus probable — que leur avance sur la masse, plus apparente qu'effective, laissait en réalité leurs conceptions au niveau de la moyenne et tout leur révolutionnarisme se bornait à des changements de noms. » Cette recherche de la plus profonde réalité historique, qui rejetait déjà les anarchistes de la politique parlementaire vers l'économique, les mène ici jusqu'aux soubassements mêmes d'une histoire *humaine* et raisonnable : « La transformation que nous désirons peut demander l'œuvre de plusieurs générations : or, tant que l'on ne se fera pas une idée nette de ce que pourra être cette révolution qui doit transformer toutes nos conceptions, toutes nos relations sociales, on risquera fort d'ergoter indéfiniment et de ne pas s'entendre sur ce qui lui sera possible et sur ce qui lui sera impossible. » Il ne s'agit pas de reculer indéfiniment les révolutions nécessaires, mais de pénétrer de cette conviction et de cet esprit au moins, à tous les degrés, les minorités agissantes. La misère ne suffit pas à déclencher, encore moins à éclairer une révolution [181]. La violence ne fait que la parasiter; les ouvriers anti-autoritaires y ont toujours répugné, et pensent au surplus qu'elle est inefficace [182]; leur devise est : impitoyables avec les positions, humains avec les hommes. Une révolution, c'est d'abord « l'élucidation même des iées [183] ».

181. Bakounine, *Lettre à un Français*, B., IV, 20.

182. Cf. les *Statuts de* l'Alliance de la démocratie socialiste (fédéraliste). « Les carnages politiques n'ont jamais tué de partis. » Et la force des puissants est moins dans les hommes que dans les choses. Kropotkine, *L'Anarchie, son idéal*, 53, condamne en termes vifs les violences inutiles.

183. Proudhon, *Justice...*, Œ, 515.

Si la formation de l'initiative et de la pensée personnelle garantit le militant de la passivité, l'action directe le protège des illusions du discours. En choisissant l'attentat plutôt que la manœuvre politique et parlementaire, les anarchistes pouvaient politiquement se tromper, ils obéissaient à un besoin de se protéger contre la parole sans prises, contre l'adhésions sans engagement; la traduction brutale de ce besoin ne doit pas cacher le vrai désir d'authenticité spirituelle qu'elle manifeste. C'est dans leurs propres rangs que les ouvriers ont vu « l'énergie du langage cacher la faiblesse et l'inconséquence des actes [184] ». Si tout homme a besoin de vérifier la référence de ses paroles à ses actes, les masses, par formation et genre de vie, sont plus aisément dupes que d'autres. Elles ne savent penser « qu'avec leurs mains », les idées les grisent vite, et les mystifient sans résistance. C'est sur des choses concrètes, non sur des idées générales ou de l'éloquence verbeuse qu'il faut les éduquer [185], réaliser ce que Bakounine appelle leur « émancipation par la pratique [186] ». Kropotkine déclare le primat du *fait révolutionnaire*, en période prérévolutionnaire, sur le *discours révolutionnaire*, et en période révolutionnaire sur le *décret révolutionnaire*. Au milieu des parlotes et des discussions, le fait révolutionnaire s'affirme sans conteste, résume péremptoirement les aspirations dominantes. Il excite l'audace, dévalorise l'adversaire [187]. Un parti qui a la puissance théorique, plus parfaite peut-être que chez nul autre, mais qui n'a pas la puissance d'action, sera sur le plan politique moins suivi, moins *cru*. Plus tard, quand la révolution est là, le décret ne peut être que sommaire, irritant pour beaucoup, qu'il rejette à la résistance. Les révolutionnaires ne doivent donc pas *faire* la révolution *par décrets*, mais la *provoquer* dans les masses. Ne pas faire de la centralisation, mais de la provocation, « mettre le diable au corps des masses », Kropotkine exprime en termes d'action

184. Bakounine, *Lettres à un Français*, B., II, 226.
185. Kropotkine, *Science moderne*, 128.
186. Œ., V, 182.
187. *Id.*, *Paroles d'un révolté*, 282 s.

violente ce que d'autres ont appelé, sur le plan des idées et des croyances, une méthode d'immanence. Ainsi firent les Conventionnels, quand « la France de l'État » était perdue : ils envoyèrent à la « France du peuple », pas à ses mandants, mais au village même, des commissaires chargés de ranimer sa flamme, en la « poussant dans la direction de ses propres instincts [188] ». Sans cette sorte d'émeute permanente du peuple français qui gronde de 1788 à 1793, la révolution n'eût été que bourgeoise et conservatrice. C'est par ce biais que les anarchistes passèrent à la tactique émeutière.

Ici encore ils glissèrent au système. Pour la formation des hommes, ils crurent trop aisément que préparer « dans les flancs de l'Internationale » un embryon de la société future suffirait pour que la société nouvelle ayant grossi, l'ancienne s'écroule de sa propre faiblesse : la passivité et l'inertie les rattraperaient par un détour. Pour l'action, ils sont responsables d'une certaine mystique de l'agitation permanente dont il n'est pas dit qu'elle ne profite pas plus au regroupement des peurs et des forces de résistance qu'au maintien en bonne forme du mouvement de revendications populaires. Mais tout ne devait pas être perdu pour autant de leur message.

188. Bakounine, *Lettres à un Français*, II, 86 s.

Postface à Anarchie et personnalisme

Qu'en reste-t-il aujourd'hui? Je reprends ces pages dix ans après les avoir écrites. A force de déception et de dégoûts nous avons appris à nous méfier du romantisme révolutionnaire. La réaction des anarchistes contre le marxisme naissant n'était pas sans trahir quelque chose de cette colère d'enfants qui faisait aux artisans de 1830 briser les premières machines et qui retient aujourd'hui tant de nostalgies inquiètes aux limites du monde nouveau. Ceux mêmes qui ne relèvent pas de son orthodoxie politique ont appris du marxisme qu'une révolution se fait avec les nécessités des choses aussi bien qu'avec la générosité des hommes. A travers le marxisme et par lui, la révolution est devenue raisonnable, froide, politique. C'est le sens de l'histoire et de la vie. Quand il est entré dans les plaines et dans leurs écluses, le fleuve ne remonte pas au torrent. Et pour qu'il serve les villes et les champs, il faut que le fleuve accepte d'être administré, endigué, domestiqué. Mais la force du fleuve vit encore de la pente du torrent, la puissance qui nourrit les villes et les champs est encore puisée à la puissance du torrent; on peut faire très large, dans le courant de pensée et d'action ouvrières que nous venons de repérer à sa source, la part d'une sorte de jeunesse sociologique, ou si l'on veut de turbulence infantile. Mais on ne s'en débarrasserait pas à si bon compte. Si la révolution jetait sur l'idéalisme de ses débuts un regard désabusé de vieil homme, c'en serait fait de la révolution. Laissons les enfantillages. A travers les enfantillages, nous avons touché plus d'une fois la gravité bouleversante d'une voix qui nous disait que le respect de l'homme, la morale révolutionnaire, le souci des moyens sont, dans ce mouvement ouvrier français, de profondes exigences populaires, et non pas, comme certains se plaisent à l'entendre, une démangeaison de la conscience petite-bourgeoise.

Je dirais volontiers que nous avons été amenés à esquisser, dans ces trois études, une *sociologie des profondeurs*. C'est dans la mesure où nous avons approfondi la tradition chrétienne — et non pas dans quelque libéralisme religieux — que nous avons trouvé au christianisme de fraîches ressources d'intelligence historique. C'est dans la mesure où nous rejoignons la spontanéité primitive du mouvement ouvrier que nous mettons à nu une sagesse populaire plus pleinement humaine que tous nos efforts pour humaniser la révolution. Ce mouvement vers les sources n'est pas une démarche abstraite et proprement hérétique, car c'est bien le christianisme *dans* l'église, le peuple *dans* son action organisée et progressive que nous allons rejoindre, non pas quelque église invisible ou quelque peuple idéal, ces rêves sans forme où se réfugient les vaincus de la vie. Mais ici et là nous sommes rappelés à de très simples lois du temps et de la vie. Si les appareils sont nécessaires à l'exercice de notre liberté souveraine, ils tendent de par eux-mêmes à transformer les rapports humains en rapports instrumentaux, à écraser l'homme sous les mécanismes d'émancipation de l'homme. Ce que nous avons gagné sur l'idéalisme et sur l'individualisme d'un siècle déjà mort, c'est la connaissance du caractère collectif de toute œuvre de salut, et du caractère contraignant de ses conditions matérielles. Il n'est de liberté que sur un ordre de choses, et parmi des hommes. Mais si rigoureux soit l'itinéraire qui nous est fixé en certaines époques de crise, si étroite l'initiative que nous permet le coude à coude du salut public, cette dure guerre ne reste une guerre d'homme que si la liberté guide nos pas. Tel est le message profond de la pensée anarchiste sans ses enfantillages et sans ses utopies. Résumons-le, pour finir, par un de ses textes les plus incisifs.

« La véritable outrecuidance consiste à accorder à certains individus la perfection de l'espèce... Vous croyez que vos institutions d'État sont assez puissantes pour changer un faible mortel, un fonctionnaire, en saint, et lui rendre possible l'impossible. Mais vous avez tellement peu confiance en votre organisme d'État que vous craignez l'opinion isolée d'un particulier... L'instruction [sur la censure] demande que l'on témoigne une confiance illimitée à la classe des fonctionnaires, mais elle part d'une défiance illimitée envers la classe des non-fonctionnaires. Pourquoi ne pratiquerions-nous pas la loi du talion? Pourquoi la classe des fonctionnaires ne serait-elle pas précisément suspecte? Même observation pour le caractère. Et de prime abord, l'homme impartial doit accorder plus d'estime au caractère du critique public qu'à celui du critique secret... C'est parce qu'il a une vague conscience de tout cela que l'État bureaucratique s'efforce de placer la sphère de l'anarchie assez haut pour qu'elle disparaisse aux regards; il se figure alors qu'elle est évanouie. »

Ce texte, ne le cherchez ni chez Proudhon malgré l'attaque haletante et serrée de la phrase ni chez Bakounine ni dans Kropotkine, ni chez aucun de ceux que nous avons cités. Il est de Marx, parlant de la censure allemande. C'est une preuve que la vérité implicite de l'anarchisme, comme écrivait Proudhon par gentillesse, n'appartient à personne, et que chacun peut en faire profit.

IMP. BUSSIÈRE, SAINT-AMAND (CHER).
D. L. 4e TR. 1966. No 1920. 2. (2425).